MICHAELIS

DICIONÁRIO DE
ERROS COMUNS DO INGLÊS

para falantes de português

MARK G. NASH
Mestre em Teoria da Comunicação pela
McGill University, Montreal, Canadá

WILLIANS R. FERREIRA
Mestre em Linguística Aplicada e Estudos da
Linguagem pelo LAEL/PUC-SP

MICHAELIS

DICIONÁRIO DE
ERROS COMUNS DO INGLÊS

para falantes de português

NOVA ORTOGRAFIA conforme o
Acordo Ortográfico da LÍNGUA PORTUGUESA

MELHORAMENTOS

Editora Melhoramentos Ltda.

Nash, Mark G.
 MICHAELIS: dicionário de erros comuns do inglês para falantes de português / Mark G. Nash e Willians Ramos Ferreira. – São Paulo: Editora Melhoramentos, 2010. – (Dicionários Michaelis)

ISBN: 978-85-06-06284-5

1. Inglês – Dicionários – Português 2. Inglês – Linguística – Etimologia I. Ferreira, Willians Ramos. II. Título. III. Série.

CDD-423.1=20=69

Índices para catálogo sistemático:
1. Linguística aplicada do Inglês   428
2. Etimologia aplicada do Inglês   428
3. Dicionários: Inglês-Português   423.1=20=69

Obra conforme o Acordo Ortográfico da Língua Portuguesa

© 2010 Mark G. Nash e Willians Ramos Ferreira
© 2010 Editora Melhoramentos Ltda.
Todos os direitos reservados.

Design original da capa: Jean E. Udry
Diagramação: WAP Studio

2.ª edição, 3.ª impressão, setembro de 2018
ISBN: 978-85-06-06284-5
    978-85-06-07865-5

Atendimento ao consumidor:
Caixa Postal: 11541 – CEP 05049-970 – São Paulo – SP – Brasil
Tel.: (11) 3874-0880
sac@melhoramentos.com.br
www.editoramelhoramentos.com.br

Impresso na Índia

SUMÁRIO

Introdução
    A quem se destina o dicionário?..................................... VII
    O que são "erros"?.. VII
    Por que um dicionário de erros?..................................... VII
    Quais foram as fontes para a pesquisa dos erros?............ VIII
    Como usar o dicionário?... IX
Introduction
    Who is this dictionary for?... X
    What are "errors"?... X
    Why a dictionary of common errors?............................. X
    What are the sources of the errors?................................ XI
    How to use this dictionary?... XII

Verbetes... 1

Introdução

A quem se destina o dicionário?

O dicionário destina-se a estudantes brasileiros de língua inglesa, bem como àqueles que a utilizam no seu ambiente acadêmico, de trabalho ou lazer. Estudantes, professores e usuários em geral apreciarão a utilidade do dicionário para identificar de forma sistemática quais são os erros típicos cometidos em inglês por falantes do português e quais as alternativas corretas ou mais adequadas para cada situação ou contexto de uso enfocado.

O que são "erros"?

O termo "erro" é usado no dicionário para se referir a todo tipo de "desvio" do padrão típico de uso das principais comunidades de falantes nativos do inglês. Com isso, procuramos simplificar a consulta e evitar o uso de nomenclaturas técnicas que frequentemente se interpolam, tais como: *lapsos, supergeneralizações, infelicidade, gafe, interferência linguística, transferência de linguagem* etc., que são mais apropriadas à investigação sobre a causa de erros na linguagem de aprendizes. Vale ressaltar também que a noção de erro, muitas vezes entendida como algo negativo, é aqui vista simplesmente como um fenômeno inerente ao processo de aprendizagem.

Por que um dicionário de erros?

A motivação para produzir um dicionário de erros surgiu da necessidade de oferecer aos nossos alunos explicações mais sistemáticas de possíveis "ciladas" que geralmente ocorrem no uso do idioma por falantes do português. Nem sempre as correções feitas pelo professor em classe ocorrem de maneira sistemática, assim como nem sempre os alunos se lembram das correções feitas oralmente. Assim, tivemos a ideia de compilar um banco de dados com essa finalidade. Obviamente, não temos a pretensão de erradicar os erros na linguagem dos aprendizes, visto que o processo de aprendizagem é muito complexo e depende de vários fatores. Acreditamos, porém, que ao fornecer aos alunos evidências negativas de uso real, ou seja, o que não deveriam ter dito ou escrito em determinado contexto, estaremos chamando a sua atenção para uma produção mais precisa e eficaz. Seja por meio da consulta ao dicionário de forma autônoma ou de atividades elaboradas e conduzidas pelo professor, alguns erros podem ser mostrados aos aprendizes antes que se cristalizem e tornem o processo de aprendizagem mais árduo. Alguns acadêmicos defendem a ideia de que a exposição ou discussão sobre erros com os alunos os torna desmotivados e inibidos para usar o idioma. A nossa experiência docente nos mostra justamente o contrário. Os alunos têm demonstrado o desejo e a satisfação de saber em que situações cometem erros ou em quais delas poderiam melhorar. Isso é sinal de que os alunos estão mais maduros e procurando estratégias inteligentes para a autonomia na aprendizagem do idioma.

Quais foram as fontes para a pesquisa dos erros?

Os dados provêm de duas fontes em particular. A primeira fonte foi uma coleção denominada *Brazilian Learners of English* (BLE), contendo aproximadamente 25.000 palavras, constituída de gêneros textuais que variam entre redações escolares, cartas pessoais e textos dissertativos. A segunda fonte foi uma base de dados constituída de anotações de aula feitas pelos autores em um período de mais de dez anos de ensino de inglês em escolas de idiomas e universidades. Os critérios observados para a seleção dos verbetes foram frequência de ocorrência e tipicidade. Os tipos de erros tratados no dicionário variam entre erros lexicais, gramaticais, semântico-pragmáticos e socioculturais.

Como usar o dicionário?

Procuramos manter a organização do dicionário o mais simples possível. Você encontrará as entradas em ordem alfabética. No caso de expressões ou termos compostos por duas ou mais palavras, a organização se dá em ordem alfabética da primeira palavra lexical. Na maioria dos casos, ela será um substantivo.

Os elementos do verbete obedecem à seguinte ordem. Após a palavra ou termo de entrada, a oração com a palavra ou termo usado de maneira errada é apresentada. Em seguida, há uma tradução em português do que supostamente se quis dizer em inglês. Logo após a tradução, a forma correta é apresentada, com mais de uma alternativa em alguns casos. As alternativas de correção refletem o uso típico de falantes nativos do inglês. Após a correção, uma seção chamada "observe" apresenta uma breve explicação sobre o erro. Em seguida, um ou mais exemplos de uso são apresentados, sempre acompanhados da tradução em português. Quando necessário, utilizamos as seguintes abreviações para indicar variedades sociolinguísticas.

Amer   inglês americano
Brit   inglês britânico
form   formal
inf   informal
vulg   vulgar

É importante ressaltar que o dicionário apresenta as alternativas corretas mais típicas para cada caso de erro analisado. Para maior aprofundamento sobre *expressões idiomáticas, phrasal verbs* ou *gírias* em inglês, consulte *Michaelis Dicionário de Expressões Idiomáticas, Michaelis Dicionário de Phrasal Verbs* e *Michaelis Dicionário de Gírias*.

Esperamos que faça um ótimo aproveitamento do dicionário. Bons estudos!

Mark G. Nash & Willians R. Ferreira

Introduction

Who is this dictionary for?

This dictionary is for Brazilian students of English and for those who use English in the course of their work or for pleasure. Students and teachers will find this dictionary especially useful for systematically identifying common errors in English committed by Portuguese speakers and for learning the correct, or most adequate, alternatives for each situation.

What are "errors"?

The term "error" is used in this dictionary to refer to any "deviation" from typical patterns of use by native-speaking English communities. We have endeavored to simplify the way the dictionary is used and to avoid complicated technical terms for the different types of errors such as *lapses, overgeneralizations, infelicities, gaffes, linguistic interference* and *language transfer* which would be more suited to a study of the origins of errors in English. It is important to point out that the term "error" often comes charged with a negative connotation, which is not the case here. We use the term "error" without any judgment to describe a natural phenomenon inherent in language learning.

Why a dictionary of common errors?

The impetus to write this book stemmed from the need to give Brazilian learners more systematic explanations for possible "traps" in English that Portuguese speakers often fall into. The corrections offered by teachers are not always very systematic nor do students always remember their teachers' corrections, especially when given orally. With this in mind, we began to compile a data bank of student errors. Obviously, we don't believe we can eradicate or address all learner errors, given that language learning is a very complex process with many influencing factors. However, we do believe that by providing negative evidence of real errors, in other words, what should not have been said or written in a given context, we are helping learners to develop more accurate language production. By consulting this dictionary or through activities created and conducted by a teacher, learners can become aware of some frequent mistakes and correct them before they crystallize through repetition. After a learner internalizes a mistake, it becomes all the more difficult to correct. Some teachers believe that pointing out and talking about their students' errors can undermine their motivation and inhibit their communication. Our teaching experience has shown us just the contrary. Students have shown a great interest and satisfaction in learning about their errors and identifying where they can improve. We take this as a sign that students are concerned and are seeking intelligent strategies to develop autonomy in their learning of the language.

What are the sources of the errors?

The data used for this book come from two principle sources. The first is a corpus called *Brazilian Learners of English* (BLE), with roughly 25,000 words made up of written genres that range from school compositions, personal letters to essays. The second source is a data base of errors, recorded in the classroom and compiled by the authors over a period of more than 10 years of teaching English at language schools and universities. The criteria for selecting errors were based on frequency and typicality. The kinds of errors dealt with in this dictionary include lexical, grammatical, semantic-pragmatic and socio-cultural errors.

How to use this dictionary?

We have tried to keep the organization of the dictionary as simple as possible. The entries are in alphabetical order. In the case of expressions or terms composed of two or more words, the entry is ordered according to the first lexical word in the expression. In most cases this is a noun.

All the entries follow the same organizational pattern. Each entry starts with an entry header in bold, usually a noun. After the entry header there is a sentence with the word or expression used incorrectly under the header "errado". This is followed by a Portuguese translation of what the learner supposedly meant to say. Under the header "correto" we present the most adequate or correct alternatives for this specific context. An explanation of the error and the correction is discussed at the end under the header "observe". Often we include other examples of the correct form translated into Portuguese. Whenever relevant, we include the following socio-linguistic information:

Amer   American English

Brit   British English

form   formal

inf   informal

vulg   vulgar

It is important to note that this dictionary provides only the most typical correct alternatives for learner errors. For those who wish to take a closer look at typical usage of idiomatic expressions, phrasal verbs and slang, consult the *Michaelis Dicionário de Expressões Idiomáticas, Michaelis Dicionário de Phrasal Verbs* and *Michaelis Dicionário de Gírias* by the same authors.

Mark G. Nash & Willians R. Ferreira

0.25

Errado: *Interest rates went up 0,25 percent.* / A taxa de juros subiu 0,25 por cento.

Correto: *Interest rates went up 0.25 percent.*

Observe: quando escrevemos frações em inglês, utilizamos um ponto (.), e não uma vírgula (,).

1,000

Errado: *I paid US$ 1.000,00 for this coat.* / Eu paguei US$ 1.000,00 por este casaco.

Correto: *I paid US$ 1,000.00 for this coat.*

Observe: quando escrevemos os números em inglês, separamos as dezenas com um ponto (.) e os milhares com uma vírgula (,). Observe também que sempre separamos os centavos com um ponto (.) em inglês. Exemplos: *US$ 1.99; US$ 2,378.81; R$ 24,95.*

1.85 m

Errado: *I'm 1,85m tall.* / Eu tenho 1,85 m de altura.

Correto: *I'm 1.85m tall.*

Observe: quando escrevemos unidades métricas em inglês, utilizamos um ponto (.), e não uma vírgula (,).

2.5 km

ERRADO: *The exit is another 2,5 km further ahead.* / A saída fica 2,5 km à frente.
CORRETO: *The exit is another 2.5 km further ahead.*
OBSERVE: quando escrevemos quilometragens em inglês, usamos um ponto (.), e não uma vírgula (,). Na fala também pronunciamos a palavra *point*. Veja alguns exemplos: *The store is three point five kilometers down the road.* / A loja fica a 3 quilômetros e meio à frente.

4.5%

ERRADO: *Inflation is 4,5%.* / A inflação está em 4,5%.
CORRETO: *Inflation is 4.5%.*
OBSERVE: quando escrevemos porcentagens em inglês, utilizamos um ponto (.), e não uma vírgula (,). Na fala também pronunciamos a palavra *point*. Exemplos: *Zero point five percent (0.5%)* / Zero ponto cinco por cento; *Two point three percent (2.3%)* / Dois ponto três por cento.

a / an

ERRADO: *I have an yellow car.* / Eu tenho um carro amarelo.
CORRETO: *I have a yellow car.*
OBSERVE: usamos o artigo *an* antes de palavras que começam com som de vogal (*apple*, *egg*) ou som de ditongo (*idea*, *icon*), em inglês. Quando o som inicial da palavra é de consoante (*car, house*) ou semivogal (*yellow, university*), usamos o artigo *a*. Para verificar o som da palavra, é necessário consultar sua transcrição fonética em um bom dicionário de inglês. Assim, dizemos: *John is an honest guy.* / O John é um cara honesto; *I have an idea.* / Eu tenho uma ideia; *Claire is a university student.* / A Claire é uma estudante universitária; *I'd love to go on a one-year holiday.* / Eu adoraria tirar férias de um ano.

a lot

ERRADO: *I like a lot this beer.* / Eu gosto muito desta cerveja.
CORRETO: *I like this beer a lot.*

Observe: nesse caso, *a lot* vem geralmente em posição final na oração. Exemplo: *We enjoyed the show a lot.* / Nós gostamos muito do show.

ability

Errado: *I don't have the ability to drive.* / Eu não tenho a habilidade de dirigir; Eu não sei dirigir.
Correto: *I don't know how to drive; I can't drive.*
Observe: quando queremos expressar a ideia de habilidade para fazer algo, geralmente usamos o padrão *know how to do something* ou *can do something*. Exemplos: *She knows how to cook very well.* / Ela sabe cozinhar muito bem; *John can ski.* / O John sabe esquiar.

abroad

Errado: *I plan to go to abroad next year.* / Eu planejo ir para o exterior no ano que vem.
Correto: *I plan to go abroad next year.*
Observe: o padrão é sempre *study/work/travel etc. abroad*, sem *to*. Exemplo: *She studied abroad.* / Ela estudou no exterior.

academy

Errado: *I go to the academy three times a week.* / Eu vou à academia três vezes por semana.
Correto: *I go to the gym three times a week; I go to the health club three times a week; I go to the fitness center three times a week.*
Observe: a palavra *academy* é um falso cognato e significa "sociedade de pessoas cultas". Exemplos: *Academy of Arts.* / Academia de Artes; *Music Academy.* / Conservatório Musical. A palavra *academy* é também usada, às vezes, para se referir ao mundo acadêmico. Quando nos referimos a uma "academia de ginástica", geralmente usamos os termos *gym, health club, fitness center* e *sports center*.

accommodate

ERRADO: *He's very accommodated at the company. He'll never look for a new job.* / Ele está muito acomodado na empresa. Ele nunca vai procurar um novo emprego.

CORRETO: *He's very comfortable at the company. He'll never look for a new job; He's very settled in at the company. He'll never look for a new job.*

OBSERVE: em inglês, a palavra *accommodate* tem vários significados, mas não expressa a ideia de "acomodado", no sentido de ser preguiçoso por estar numa situação segura. Veja outros sentidos da palavra nos exemplos que se seguem: *Can you accommodate us for the night?* / Você pode nos alojar por esta noite?; *We try to accommodate the needs of all our clients.* / Nós tentamos atender às necessidades de todos os nossos clientes; *I suppose I can accommodate you with a small loan till the end of the month.* / Eu acho que posso ajudá-lo com um pequeno empréstimo até o final do mês.

accusation

ERRADO: *She did an accusation against the company.* / Ela fez uma acusação contra a empresa.

CORRETO: *She filed a complaint against the company.*

OBSERVE: fazer uma acusação formal contra alguém ou algo em inglês é *file a complaint against someone / something*.

accustomed[1]

ERRADO: *I accustomed to go to the club on weekends.* / Eu costumava ir ao clube nos finais de semana.

CORRETO: *I used to go to the club on weekends.*

OBSERVE: quando queremos expressar algo que costumávamos fazer no passado, mas não fazemos mais, usamos o padrão *used to do something*, em inglês. Exemplos: *I used to take the bus to work, but now I drive.* / Eu costumava ir de ônibus para o serviço, mas agora eu vou de carro; *I didn't use to like her, but now I do.* / Eu não gostava dela, mas agora gosto.

accustomed[2]

ERRADO: *I'm accustomed with the situation.* / Eu estou acostumado com a situação.

CORRETO: *I'm used to the situation.*

OBSERVE: embora os padrões *be accustomed to something* ou *be accustomed to doing something* existam, os padrões mais típicos são *be used to something* e *be used to doing something*. Exemplos: *I'm used to physical work.* / Estou acostumado com trabalho físico; *I'm used to receiving visitors.* / Estou acostumado a receber visitas.

ache

ERRADO: *My arm is aching.* / O meu braço está doendo.

CORRETO: *My arm hurts; My arm is hurting.*

OBSERVE: embora o verbo *ache* tenha o significado de doer, ele somente é usado para certos tipos de dor, como mostram os exemplos: *My back is aching from lifting boxes.* / Minhas costas estão doendo de carregar caixas; *The symptoms of dengue fever are an ache behind the eyes and fever.* / Os sintomas de dengue são dor atrás dos olhos e febre. A palavra *ache* é mais usada como substantivo, como em *stomachache* (dor de estômago), *backache* (dor nas costas), *headache* (dor de cabeça), *toothache* (dor de dente) etc. Exemplo: *I have a toothache.* / Eu estou com dor de dente.

actual[1]

ERRADO: *It's a very actual computer.* / Este é um computador bastante atual.

CORRETO: *It's a very up-to-date computer; It's a very modern computer.*

OBSERVE: a palavra *actual* significa "real" ou "verdadeiro", em inglês. Quando nos referimos a algo "moderno" ou "atual", usamos *up-to-date* ou *modern*. Veja alguns exemplos: *We have the most up-to-date computers in the world.* / Nós temos os computadores mais modernos do mundo; *It's a very modern concept.* / É um conceito muito atual.

actual²

ERRADO: *What is your actual job?* / Qual é seu emprego atual?
CORRETO: *What is your present job?; What's your current job?*
OBSERVE: a palavra *actual* significa "real" ou "verdadeiro" em inglês. Quando nos referimos a algo "corrente" ou "do momento", usamos *current* ou *present*.

actually

ERRADO: *I am not working actually.* / Eu não estou trabalhando atualmente.
CORRETO: *I am not working at the moment; I'm not working right now; I'm not working for the time being.*
OBSERVE: a palavra *actually* significa "de fato", "na verdade", em inglês. Exemplo: *Actually, her name's Matilda, not Mary.* / Na verdade, o nome dela é Matilda, e não Mary. Quando nos referimos à palavra "atualmente", usamos *currently, at the moment, right now* etc.

adapt

ERRADO: *We'll have to adaptate the machine.* / Nós vamos ter que adaptar a máquina.
CORRETO: *We'll have to adapt the machine.*
OBSERVE: a forma correta do verbo é *adapt*, e não *adaptate*.

admit

ERRADO: *They admitted three new employees.* / Eles admitiram três novos funcionários.
CORRETO: *They hired three new employees.*
OBSERVE: a palavra *admit* significa "reconhecer ou admitir (erro, falha etc.)". Exemplo: *I admit that I was wrong about her.* / Eu admito que estava errado a respeito dela. Quando nos referimos à "contratação de um funcionário", utilizamos o verbo *hire* ou *take on*.

advice[1]

ERRADO: *He adviced me to go.* / Ele me aconselhou a ir.
CORRETO: *He advised me to go.*
OBSERVE: a forma correta do verbo é *advise*. A palavra *advice* é o substantivo e significa "conselho". Exemplo: *I didn't ask for your advice.* / Eu não pedi o seu conselho.

advice[2]

ERRADO: *He gave me a lot of advices.* / Ele me deu muitos conselhos.
CORRETO: *He gave me a lot of advice.*
OBSERVE: a palavra *advice* (conselho) é incontável e sempre usada no singular.

advice[3]

ERRADO: *He gave me an advice.* / Ele me deu um conselho.
CORRETO: *He gave me some advice; He gave me a piece of advice.*
OBSERVE: a palavra *advice* (conselho) não é contável em inglês. Para dar a ideia de "um" conselho, no singular, pode-se dizer *a piece of advice*. Exemplo: *Let me give you a piece of advice. Never drink and drive.* / Vou te dar um conselho. Nunca beba e saia dirigindo.

advise[1]

ERRADO: *She advised me see a doctor.* / Ela me aconselhou a ir ao médico.
CORRETO: *She advised me to see a doctor.*
OBSERVE: o padrão, nesse caso, é *advise someone to do something*. Exemplo: *The teacher advised me to study more.* / O professor me aconselhou a estudar mais.

advise[2]

ERRADO: *I advised him that it was dangerous.* / Eu o alertei de que era perigoso.
CORRETO: *I warned him that it was dangerous.*

OBSERVE: o verbo *advise*, em inglês, expressa a ideia de "dar conselho", "aconselhar alguém". Exemplo: *I advised him to accept the offer.* / Eu o aconselhei a aceitar a oferta. Para expressar o ato de "alertar" ou "avisar alguém de um perigo", geralmente usamos o verbo *warn*. Exemplo: *They are warning everyone to leave the coast before the hurricane hits.* / Estão alertando todas as pessoas a deixar o litoral antes que o furacão se aproxime.

afford

ERRADO: *She couldn't afford paying the rent.* / Ela não tinha dinheiro para pagar o aluguel.

CORRETO: *She couldn't afford to pay the rent; She couldn't afford the rent.*

OBSERVE: o padrão do verbo *afford* é *afford something* ou *afford to do something*. Exemplos: *Can you afford a new car?* / Você tem dinheiro para um carro novo?; *We can't afford to go on holiday this year.* / Nós não temos dinheiro para sair em férias este ano.

afraid

ERRADO: *Don't be afraid of asking if you need my help.* / Não tenha medo de perguntar, se você precisar da minha ajuda.

CORRETO: *Don't be afraid to ask if you need my help.*

OBSERVE: o padrão de uso, nesse caso, é *be afraid to do something*. Exemplo: *She's not afraid to state her opinions.* / Ela não tem medo de expressar suas opiniões.

after[1] (a week / a month etc.)

ERRADO: *I'm going to Curitiba after a week.* / Eu vou para Curitiba daqui a uma semana.

CORRETO: *I'm going to Curitiba in a week's time; I'm going to Curitiba in a week from now; I'm going to Curitiba in a week.*

OBSERVE: quando nos referimos a um tempo que está por vir, utilizamos as expressões *in a week's time, in two weeks' time, in three months' time, in ten years' time* etc. Outras possibilidades são *a week* *from now, two weeks from now, in two weeks* etc. Exemplos: *The course starts in two weeks' time; The course starts in two weeks.* / O curso começa daqui a duas semanas.

after²

ERRADO: *After we will finish our work, we will have lunch together.* Depois que terminarmos nosso trabalho, nós vamos almoçar juntos.

CORRETO: *After we finish our work, we will have lunch together.*

OBSERVE: quando nos referimos a uma ação ou evento no futuro com a palavra *after*, sempre usamos o tempo verbal *Present Simple*, em inglês. Exemplos: *After I finish work, I'll call you.* / Depois que eu terminar o serviço, eu te ligo; *Let's eat something after the movie ends.* / Vamos comer alguma coisa depois que o filme terminar.

age¹

ERRADO: *She has the same age as my mother.* / Ela tem a mesma idade da minha mãe.

CORRETO: *She is the same age as my mother.*

OBSERVE: o verbo que se usa em orações relacionadas à idade é *be*, e não *have*, em inglês. Veja alguns exemplos: *What is your age?* / Qual é a sua idade?; *How old is Barbara?* / Quantos anos tem a Barbara?; *She is old now.* / Ela é velha agora; *I'm 30 years old.* / Tenho 30 anos.

age²

ERRADO: *When you are of my age, you'll understand.* / Quando você tiver a minha idade, você vai entender.

CORRETO: *When you are my age, you'll understand.*

OBSERVE: o padrão, nesse caso, é *be someone's age* ou *at someone's age*. Exemplo: *You shouldn't lift heavy things at your age.* / Você não deveria levantar coisas pesadas na sua idade; *You will remember this when you are his age.* / Você se lembrará disso quando tiver a idade dele.

agenda

ERRADO: *I have to buy a new agenda.* / Eu tenho de comprar uma agenda nova.
CORRETO: *I have to buy a new appointment book.*
OBSERVE: geralmente usamos a palavra *agenda* (inglês) quando nos referimos a "pauta do dia", "pauta de discussões de uma reunião" ou "plano". Exemplos: *We have some important issues to discuss on the agenda.* / Temos alguns assuntos importantes para discutir na pauta; *What's on the agenda for Saturday?* / Quais são os planos para sábado?

ago[1]

ERRADO: *I saw Samuel in two weeks ago.* / Eu vi o Samuel há duas semanas.
CORRETO: *I saw Samuel two weeks ago.*
OBSERVE: em inglês, geralmente não usamos preposições antes do padrão *(two) weeks / months / years ago*. Exemplo: *I met Fred two years ago.* / Eu conheci o Fred há dois anos.

ago[2]

ERRADO: *I've seen Thomas two days ago.* / Eu vi o Thomas há dois dias.
CORRETO: *I saw Thomas two days ago.*
OBSERVE: quando expressamos uma ação no passado com indicação de tempo definido como *"two days ago"*, geralmente usamos o tempo verbal *Past Simple*, em inglês. Veja outros exemplos: *We went to the beach last week.* / Nós fomos à praia na semana passada; *I met Damion in 2002.* / Eu conheci o Damion em 2002.

agree

ERRADO: *Do you agree about the price?* / Você concorda com o preço?
CORRETO: *Do you agree on the price?; Do you agree to the price?*
OBSERVE: o padrão correto, nesse caso, é *agree on* ou *agree to something*.

agreement

ERRADO: *Did they make an agreement?* / Eles fizeram um acordo?
CORRETO: *Did they reach an agreement?; Did they come to an agreement?; Did they work out an agreement?*
OBSERVE: o padrão, nesse caso, é *reach / come to / work out an agreement (with someone)*.

agriculture

ERRADO: *I think the government should invest more in the agriculture.* / Eu acho que o governo deveria investir mais na agricultura.
CORRETO: *I think the government should invest more in agriculture.*
OBSERVE: geralmente não usamos o artigo *the* antes da palavra *agriculture*.

air[1]

ERRADO: *I don't want to go out in the fresh air with wet hair.* / Eu não quero sair no ar fresco com cabelo molhado.
CORRETO: *I don't want to go out in the cool air with wet hair.*
OBSERVE: quando nos referimos a "ar fresco", usamos *cool air* ou *cold air*. Já *fresh air* significa "ar livre". Exemplos: *The kids need more fresh air and less TV.* / As crianças precisam de mais tempo ao ar livre e menos TV; *Living in the country is great if you like fresh air and exercise.* / Morar no campo é ótimo se você gosta de ar livre e exercício.

air[2]

ERRADO: *I need to get out of the office to breathe some pure air.* / Eu preciso sair do escritório para respirar um pouco de ar puro.
CORRETO: *I need to get out of the office to breathe some fresh air.*
OBSERVE: o padrão de uso, nesse caso, é *fresh air*, em inglês. Veja alguns exemplos: *A walk outside in the fresh air will make you feel better.* / Uma caminhada lá fora ao ar livre vai fazer você se sentir melhor; *Kids need plenty of exercise and fresh air.* / As crianças precisam de bastante exercício e ar fresco.

all[1]

ERRADO: *Have all arrived yet?* / Todos já chegaram?

CORRETO: *Has everyone arrived yet?; Has everybody arrived yet?*

OBSERVE: embora seja possível usar *all* para se referir a "todos" ou "todo mundo", o mais indicado é *everyone* ou *everybody*. Um padrão com *all* quando nos referimos a pessoas é *all of them* ou *they (are) all*. Veja alguns exemplos: *I met them all at the party.* / Eu conheci todos eles na festa; *They are all here so we can start the meeting.* / Eles estão todos aqui, então podemos começar a reunião.

all[2]

ERRADO: *She bought three sandwiches, but didn't eat all.* / Ela comprou três sanduíches, mas não comeu todos eles.

CORRETO: *She bought three sandwiches, but didn't eat them all; She bought three sandwiches, but didn't eat all of them.*

OBSERVE: a palavra *all* é geralmente seguida de um substantivo ou pronome.

all[3]

ERRADO: *The accident changed all his life.* / O acidente mudou toda a vida dele.

CORRETO: *The accident changed his whole life; The accident changed his entire life.*

OBSERVE: o padrão, nesse caso, é *one's whole life* ou *one's entire life*.

allow

ERRADO: *It isn't allowed animals in the building.* / Não é permitido animais no prédio.

CORRETO: *Animals are not allowed in the building.*

OBSERVE: o padrão, nesse caso, é *something / someone is (not) allowed in a place*. Exemplo: *Men are not allowed in our club.* / Homens não são permitidos no nosso clube.

almost

ERRADO: *I almost couldn't walk.* / Eu mal conseguia caminhar.
CORRETO: *I could hardly walk.*
OBSERVE: o padrão, nesse caso, é *can / could hardly do something*.

alone[1]

ERRADO: *He learned to drive alone.* / Ele aprendeu a dirigir sozinho.
CORRETO: *He learned to drive on his own.*
OBSERVE: quando nos referimos a algo que fazemos sem ajuda de outras pessoas, geralmente usamos o padrão *do something on one's own*. Exemplo: *She can run the store on her own.* / Ela toma conta da loja sozinha.

alone[2]

ERRADO: *He was very alone.* / Ele era muito sozinho.
CORRETO: *He was very lonely.*
OBSERVE: quando nos referimos a uma pessoa "solitária", usamos o adjetivo *lonely*. Usamos o advérbio *alone* quando queremos dizer que alguém está "sozinho", "sem companhia". Exemplo: *He's alone in his room.* / Ele está sozinho no quarto dele.

always

ERRADO: *I go always to the beach on weekends.* / Eu vou sempre à praia nos finais de semana.
CORRETO: *I always go to the beach on weekends.*
OBSERVE: o advérbio *always* vem sempre antes do verbo principal na oração em inglês, exceto nos casos de verbos modais ou *be*. Exemplo: *She's always on the phone.* / Ela está sempre ao telefone.

among

ERRADO: *He was sitting among his parents.* / Ele estava sentado entre os pais dele.
CORRETO: *He was sitting between his parents.*

anger

OBSERVE: a preposição *among* (entre) é usada quando nos referimos a mais de duas pessoas. Exemplo: *He was very happy to be among his best friends.* / Ele estava muito feliz por estar entre seus melhores amigos. Quando nos referimos a apenas duas pessoas ou coisas, usamos *between* em inglês. Exemplos: *Robert is between Harry and Paul.* / O Robert está entre o Harry e o Paul; *The bank is between the post office and the hotel.* / O banco fica entre o correio e o hotel.

anger
ERRADO: *He was very anger.* / Ele estava muito bravo.
CORRETO: *He was very angry.*
OBSERVE: *anger* (raiva) é um substantivo; o adjetivo correspondente é *angry*.

angry
ERRADO: *She stayed very angry.* / Ela ficou muito brava.
CORRETO: *She was very angry; She got very angry; She became very angry.*
OBSERVE: o padrão correto, nesse caso, é *be/get/become angry*. O verbo "ficar", em português, tem muitos significados diferentes, dependendo do contexto, e raramente pode ser traduzido pelo verbo *stay*.

animate[1]
ERRADO: *They put on some music to animate the party.* / Eles colocaram uma música para animar a festa.
CORRETO: *They put on some music to liven up the party.*
OBSERVE: o verbo *animate* significa "dar movimento ou a impressão de movimento a algo" ou "transformar em desenho animado". Exemplos: *The museum spent a fortune to animate the replicas of dinosaurs so the kids can get an idea of how they moved when they were alive.* / O museu gastou uma fortuna para animar as réplicas de dinossauros, para que as crianças possam ter uma ideia de como eles se moviam quando eram vivos; *The software allows you to animate*

photos and turn them into cartoons. / O software permite que você anime fotos e as transforme em desenhos animados.

animate²

ERRADO: *Getting out of the house and seeing people will animate you.* / Sair de casa e ver pessoas vai te animar.
CORRETO: *Getting out of the house and seeing people will cheer you up.*
OBSERVE: quando nos referimos ao "ato de recuperar-se, ficar animado, alegrar-se", geralmente usamos *cheer someone up*, em inglês. Exemplo: *Let's go to the cinema. That should cheer you up a bit.* / Vamos ao cinema. Isso vai te animar um pouco.

anniversary

ERRADO: *Today is her anniversary. She's turning 12.* / Hoje é o aniversário dela. Ela está fazendo 12 anos.
CORRETO: *Today is her birthday. She's turning 12.*
OBSERVE: a palavra *anniversary* é usada para "aniversário de casamento" ou "aniversário de um acontecimento significativo" (geralmente usada com um número na frente), mas nunca para aniversário de alguém. Exemplos: *It's our 10th anniversary.* / É nosso aniversário de casamento de 10 anos; *The school is celebrating its 25th anniversary.* / A escola está festejando o aniversário de 25 anos.

announce

ERRADO: *Why don't you announce your car in the classifieds?* / Por que você não anuncia seu carro nos classificados?
CORRETO: *Why don't you advertise your car in the classifieds?*
OBSERVE: o verbo *announce* quer dizer "tornar público" ou "comunicar". Exemplo: *They announced the results of the election this morning.* / Eles comunicaram o resultado da eleição esta manhã. Quando nos referimos a um anúncio de venda, por exemplo, geralmente usamos o verbo *advertise*.

announcement

ERRADO: *Did you see the new announcement for that car?* / Você viu o novo comercial desse carro?

CORRETO: *Did you see the new advertisement for that car?; Did you see the new advert for that car?; Did you see the new ad for that car?; Did you see the new commercial for that car?*

OBSERVE: a palavra *announcement* significa "pronunciamento" ou "aviso". Exemplo: *Let's listen to the president's announcement on TV.* / Vamos ouvir o pronunciamento do presidente na TV. Quando nos referimos a um "anúncio comercial" ou "propaganda", geralmente usamos a palavra *advertisement*, ou suas formas abreviadas *advert, ad*, ou a palavra *commercial*.

answer[1]

ERRADO: *They haven't answered to my email yet.* / Eles não responderam o meu e-mail ainda.

CORRETO: *They haven't answered my email yet.*

OBSERVE: o padrão é *answer something*. Exemplo: *He promptly answered my letter.* / Ele rapidamente respondeu à minha carta.

answer[2]

ERRADO: *What's the answer for the problem?* / Qual é a resposta para o problema?

CORRETO: *What's the answer to the problem?*

OBSERVE: o padrão é *answer/solution etc. to the problem/question*. Exemplo: *I can't find the solution to this problem.* / Eu não consigo encontrar a resposta para este problema.

anticipate

ERRADO: *They anticipated the meeting.* / Eles anteciparam a reunião.

CORRETO: *They put forward the meeting; They put the meeting forward; They moved forward the meeting; They moved the meeting forward.*

any

Observe: a palavra *anticipate* geralmente tem o significado de "prever" ou "esperar" algo. Exemplo: *We don't anticipate any problems with the new machines.* / Nós não esperamos nenhum problema com as novas máquinas.

antique

Errado: *My grandfather's car is very antique.* / O carro do meu avô é muito antigo.

Correto: *My grandfather's car is very old.*

Observe: o substantivo *antique* significa "relíquia" "antiguidade" ou "móveis antigos". Quando nos referimos a algo "velho" ou "antigo", geralmente usamos o adjetivo *old*, em inglês.

anxious

Errado: *I always feel anxious during interviews.* / Eu sempre fico ansioso durante entrevistas.

Correto: *I always feel nervous during interviews.*

Observe: a palavra *anxious* é geralmente usada para descrever um "sentimento de ansiedade" ligado ao futuro, e não ao presente, em inglês. Exemplos: *I'm anxious about the interview tomorrow.* / Eu estou ansioso por causa da entrevista amanhã; *The kids are anxious to meet their new teacher.* / As crianças estão ansiosas para conhecer a nova professora. Quando queremos dizer que uma pessoa está "tensa" ou "nervosa" por causa do resultado indefinido de uma situação, geralmente usamos o adjetivo *nervous*. Exemplos: *Don't be nervous. You'll do fine on the test.* / Não fique nervoso. Você vai se sair bem na prova; *I can turn the camera off if it makes you nervous.* / Eu posso desligar a câmera se ela o deixa nervoso.

any

Errado: *If you have any doubt, please ask me.* / Se você tiver alguma dúvida, por favor, me pergunte.

Correto: *If you have any doubts, please ask me.*

Observe: o padrão, nesse caso, é *if you have any questions/doubts/suggestions/ideas* etc. A palavra *any* é sempre acompanhada de um substantivo no plural, principalmente em orações negativas e perguntas. Exemplos: *Do you have any brothers or sisters?* / Você tem algum irmão ou irmã?; *I haven't got any pets.* / Eu não tenho nenhum animal de estimação.

any more

ERRADO: *I don't want any more to work for them.* / Eu não quero mais trabalhar para eles.
CORRETO: *I don't want to work for them any more.*
OBSERVE: a expressão *any more* é geralmente usada em posição final na oração.

apologize

ERRADO: *He apologized that he couldn't come.* / Ele pediu desculpas por não ter podido vir.
CORRETO: *He apologized for not being able to come.*
OBSERVE: o padrão de uso, nesse caso, é *apologize for not being able to do something*. Exemplo: *I'd like to apologize for not being able to arrive earlier.* / Eu gostaria de pedir desculpas por não ter podido chegar mais cedo.

appearance

ERRADO: *She has a nice appearance.* / Ela tem boa aparência.
CORRETO: *She is good-looking; She looks good; She is nice-looking; She looks nice.*
OBSERVE: os padrões típicos, nesse caso, são *be good-looking*, *look good* ou *look nice*.

appeared

ERRADO: *Appeared a man at the window.* / Apareceu um homem na janela.
CORRETO: *A man appeared at the window; There appeared a man at the window.*
OBSERVE: o padrão é *something or someone appeared*.

application

ERRADO: *Tech stocks are a risky application.* / Ações ligadas à tecnologia são aplicações arriscadas.

CORRETO: *Tech stocks are a risky investment.*

OBSERVE: a palavra *application* é geralmente usada para se referir a um "formulário de inscrição ou requisição". Exemplo: *Fill out this application and give it to the secretary.* / Preencha este formulário e entregue-o à secretária.

apply[1]

ERRADO: *I don't know where to apply my money.* / Eu não sei onde aplicar o meu dinheiro.

CORRETO: *I don't know where to invest my money.*

OBSERVE: o verbo *apply*, em inglês, tem muitos significados, mas não o de "investir". Veja alguns significados comuns do verbo *apply*: *Why don't you apply for the job?* / Por que você não se candidata para o emprego?; *Apply the paint with a roller.* / Aplique a tinta com um rolinho; *You'll never pass math if you don't apply yourself more.* / Você nunca vai passar em matemática se você não se esforçar mais.

apply[2]

ERRADO: *Will you apply to the job?* / Você vai se candidatar para o emprego?

CORRETO: *Will you apply for the job?*

OBSERVE: o padrão, nesse caso, é sempre *apply for something*.

appointment

ERRADO: *The secretary made some appointments.* / A secretária fez alguns apontamentos.

CORRETO: *The secretary took some notes.*

OBSERVE: a palavra *appointment* quer dizer "hora marcada", "compromisso profissional", "consulta" (com médico, dentista etc.) Exemplos: *I have a doctor's appointment at 10:00.* / Eu tenho consulta com um médico às 10 horas; *Do I need an appointment to see the bank manager?* / Eu preciso de hora marcada para falar com o gerente do banco?

appreciate

ERRADO: *I would appreciate if you could come.* / Eu ficaria muito feliz se você pudesse vir.

CORRETO: *I would appreciate it if you could come.*

OBSERVE: o verbo *appreciate* é transitivo, assim, sempre exige um complemento/objeto (*it*).

appreciation

ERRADO: *He made an appreciation of the product.* / Ele fez uma apreciação do produto.

CORRETO: *He evaluated the product; He assessed the product.*

OBSERVE: a palavra *appreciation* significa "gratidão", "reconhecimento", "percepção real de algo" ou "valorização de um bem". Exemplos: *I don't think you have an appreciation of the severity of the situation.* / Eu não acho que você tem uma percepção real da gravidade da situação; *What's the expected appreciation of the house?* / Qual é a valorização estimada da casa?; *You could show a little appreciation for everything I've done for you.* / Você poderia mostrar um pouco de gratidão por tudo o que já fiz por você. Quando nos referimos ao ato de "avaliar algo", geralmente usamos os verbos *assess* ou *evaluate*.

approach

ERRADO: *He approached to me and asked a question.* / Ele aproximou-se de mim e fez uma pergunta.

CORRETO: *He approached me and asked a question.*

OBSERVE: o padrão de uso, nesse caso, é *approach someone*, sem preposição.

approve

ERRADO: *Do you approve the death penalty?* / Você aprova a pena de morte?
CORRETO: *Do you approve of the death penalty?*
OBSERVE: o padrão correto, nesse caso, é *approve of someone / something*.

architect

ERRADO: *I'm architect.* / Eu sou arquiteto.
CORRETO: *I'm an architect.*
OBSERVE: profissões são sempre precedidas do artigo *a(n)*, em inglês. Exemplos: *David is a doctor.* / David é médico; *Susan is a teacher.* / Susan é professora.

argument

ERRADO: *She has a good argument.* / Ela tem um bom argumento.
CORRETO: *She has a good point.*
OBSERVE: a palavra *argument*, em inglês, é geralmente usada para se referir a uma "discussão" ou "bate-boca". Pode ainda ser usada com o sentido de "argumento" ou "justificativa", mas quando se trata de um argumento bem elaborado e complexo. Exemplo: *He presented his argument for the new tax before Congress.* / Ele apresentou seu argumento para o novo imposto perante o Congresso.

arrange

ERRADO: *Can you arrange me a glass of water, please?* / Você pode me arranjar um copo d'água, por favor?
CORRETO: *Can you get me a glass of water, please?*
OBSERVE: em inglês, o verbo *arrange* significa "pôr em ordem", "organizar" ou ainda "combinar" (encontro, reunião etc.). Veja os exemplos: *She arranged the books by size.* / Ela organizou os livros por tamanho; *He arranged to meet them at 8:00.* / Ele combinou de se encontrar com eles às 8 horas.

arrive

ERRADO: *She arrived to Florianópolis yesterday.* / Ela chegou a Florianópolis ontem.
CORRETO: *She arrived in Florianópolis yesterday.*
OBSERVE: o padrão de uso, nesse caso, é *arrive in/at a place*. Exemplos: *We arrived in London on a Tuesday.* / Nós chegamos a Londres nùma terça-feira; *I arrived at the hotel at 3 o'clock.* / Eu cheguei ao hotel às 3 horas.

as long as

ERRADO: *I'll let you go as long as you will promise to behave.* / Eu vou deixá-lo ir, contanto que você prometa se comportar.
CORRETO: *I'll let you go as long as you promise to behave.*
OBSERVE: em sentenças condicionais (*first conditional*) a oração com *as long as* fica no presente simples e a outra oração fica no futuro simples, em inglês. Veja outros exemplos: *You can sit and watch the rehearsal as long as you don't make a sound.* / Você pode sentar e assistir ao ensaio, contanto que você não faça nenhum barulho; *Anyone can come to the party as long as they bring something to eat or drink.* / Qualquer um pode vir à festa, contanto que traga alguma coisa para comer ou beber.

ask

ERRADO: *He asked to me if I was Italian.* / Ele me perguntou se eu era italiano.
CORRETO: *He asked me if I was Italian.*
OBSERVE: o padrão de uso, nesse caso, é *ask someone something*, sem a preposição *to*. Veja mais exemplos: *Ask him what time it is.* / Pergunte para ele que horas são; *Did you ask him about the accident?* / Você perguntou a ele sobre o acidente?

assassin

ERRADO: *They arrested the assassins.* / Eles prenderam os assassinos.

CORRETO: *They arrested the murderers; They arrested the killers.*
OBSERVE: a palavra "assassin" é geralmente usada para se referir a um "assassino profissional", em inglês. Exemplo: *He hired an assassin to kill his boss.* / Ele contratou um assassino profissional para matar o chefe. Quando nos referimos a um "assassino comum", geralmente usamos *murderer* ou *killer*.

assault
ERRADO: *They assaulted the bank.* / Eles assaltaram o banco.
CORRETO: *They robbed the bank.*
OBSERVE: o verbo *assault*, em inglês, quer dizer "agredir fisicamente", "espancar". Exemplo: *Steve spent a week in hospital after two men assaulted him in the street.* / O Steve passou uma semana no hospital depois que dois homens o espancaram na rua.

assign
ERRADO: *Do you assign any magazines?* / Você assina alguma revista?
CORRETO: *Do you subscribe to any magazines?*
OBSERVE: o verbo *assign* significa "designar" ou "atribuir", geralmente na forma passiva, em inglês. Exemplo: *The children were assigned tasks.* / Foram atribuídas tarefas às crianças. Quando nos referimos à "assinatura de revista, jornal etc.", geralmente usamos o verbo *subscribe (to)*.

assist
ERRADO: *We assisted the match on TV.* / Nós assistimos à partida pela TV.
CORRETO: *We watched the match on TV; We saw the match on TV.*
OBSERVE: o verbo *assist* significa "ajudar", "auxiliar", "dar suporte" etc., em inglês. Exemplo: *The nurse assisted the doctor during the operation.* / A enfermeira auxiliou o médico durante a operação. Quando nos referimos ao ato de "assistir como espectador ou telespectador", geralmente usamos os verbos *watch* ou *see*.

assume¹

ERRADO: *John assumed the mistake.* / John assumiu o erro.
CORRETO: *John owned up to the mistake.*
OBSERVE: o verbo *assume* significa "presumir", "supor", "aceitar como verdadeiro", em inglês. Exemplo: *I assume the plumber knows what he's doing.* / Eu presumo que o encanador saiba o que está fazendo. Quando nos referimos ao ato de "assumir culpa ou responsabilidade", geralmente usamos o padrão *own up to something* ou *own up to doing something*.

assume²

ERRADO: *They assumed the company last year.* / Eles assumiram a empresa o ano passado.
CORRETO: *They took over the company last year.*
OBSERVE: o verbo *assume* significa "presumir", "supor", "aceitar como verdadeiro". Exemplo: *I assume that the shop is closed.* / Eu presumo que a loja esteja fechada. Quando nos referimos ao ato de "assumir controle sobre algo", geralmente usamos o padrão *take over something*.

assume³

ERRADO: *Can you assume the task?* / Você pode assumir a tarefa?
CORRETO: *Can you take on the task?*
OBSERVE: o verbo *assume* significa "presumir", "supor", "aceitar como verdadeiro". Exemplo: *I assume you know what this is going to cost us.* / Eu suponho que você saiba o quanto isto irá nos custar. Quando nos referimos ao ato de "assumir um compromisso", geralmente usamos os padrões *take on something* ou *take something on*, em inglês.

attend

ERRADO: *She attended the telephone.* / Ela atendeu o telefone.
CORRETO: *She answered the telephone.*
OBSERVE: o verbo *attend* significa "assistir" ou "participar (de)",

Exemplo: *We attended the meeting.* / Nós participamos da reunião; *Did she attend the class yesterday?* / Ela assistiu à aula ontem?

attention

Errado: *You have to pay attention in the teacher!* / Você tem de prestar atenção no professor!
Correto: *You have to pay attention to the teacher!*
Observe: o padrão, nesse caso, é *pay attention to someone / something*, em inglês. Exemplo: *You never pay attention to what I say!* / Você nunca presta atenção no que eu digo!

audience¹

Errado: *The audience of his show have increased.* / A audiência do programa dele aumentou.
Correto: *The ratings of his show have increased.*
Observe: o substantivo *audience* significa "plateia", "público". Exemplo: *The audience laughed at all her jokes.* / A plateia riu de todas as piadas dela. Quando nos referimos ao "índice de audiência" de TV ou rádio, geralmente usamos a palavra *ratings*.

audience²

Errado: *They set up an audience for next Thursday.* / Eles marcaram uma audiência para quinta-feira que vem.
Correto: *They set up a hearing for next Thursday.*
Observe: o substantivo *audience* significa "plateia" ou "público", em inglês. Exemplo: *He really knows how to move the audience.* / Ele realmente sabe comover a plateia. Quando nos referimos a uma "audiência no tribunal", usamos *hearing*.

audition

Errado: *The doctor tested my audition.* / O médico testou a minha audição.
Correto: *The doctor tested my hearing.*

OBSERVE: a palavra *audition* é geralmente usada quando nos referimos a um "teste" feito por ator ou músico para teatro, TV, filme etc., ou seja, uma "audição". Exemplo: *I got an audition for a new Broadway show.* / Eu consegui um teste para uma nova peça da Broadway. Quando nos referimos à "habilidade de ouvir", geralmente usamos a palavra *hearing*.

August

ERRADO: *We are going to Rio in august.*
CORRETO: *We are going to Rio in August.*
OBSERVE: os meses do ano sempre se escrevem com letra maiúscula, em inglês. Exemplo: *I usually take my holidays in June or July.* / Eu geralmente tiro as minhas férias em junho ou julho.

avoid

ERRADO: *He avoided to speak to her.* / Ele evitou falar com ela.
CORRETO: *He avoided speaking to her.*
OBSERVE: o padrão, nesse caso, é *avoid doing something*.

baggage

Errado: *Where did you leave your baggages?* / Onde você deixou as suas bagagens?
Correto: *Where did you leave your baggage?*
Observe: a palavra *baggage* é um substantivo incontável e, portanto, não pode ser pluralizada.

balance

Errado: *I need a balance to weigh this package.* / Eu preciso de uma balança para pesar este pacote.
Correto: *I need a scale to weigh this package.*
Observe: a palavra *balance* significa "equilíbrio". Quando nos referimos à "balança para pesar", geralmente usamos a palavra *scale*.

balcony

Errado: *They serve coffee at the balcony.* / Eles servem café no balcão.
Correto: *They serve coffee at the counter.*
Observe: a palavra *balcony* significa "pequena varanda" ou "sacada", em inglês. Quando nos referimos ao "balcão em estabelecimento comercial, cozinha etc.", geralmente usamos a palavra *counter*.

bank

bank
ERRADO: *Sit here on this bank.* / Sente-se aqui neste banco.
CORRETO: *Sit here on this bench.*
OBSERVE: a palavra *bank* significa "banco para transações financeiras" ou "banco de rio, barranco". Quando nos referimos ao "banco para sentar", geralmente usamos a palavra *bench*.

be¹
ERRADO: *Aren't you with cold?* / Você não está com frio?
CORRETO: *Aren't you cold?*
OBSERVE: o padrão, nesse caso, é apenas com o verbo *be* sem a preposição *with*. Veja mais exemplos: *I'm hungry.* / Eu estou com fome; *Are you hot?* / Você está com calor?

be²
ERRADO: *I'm with a cold.* / Eu estou com resfriado.
CORRETO: *I have a cold.*
OBSERVE: o padrão, nesse caso, é com o verbo *have* e não *be*. Exemplos: *I have a sore throat.* / Eu estou com dor de garganta; *She has a stomachache.* / Ela está com dor de estômago.

be³
ERRADO: *I'm without the car today.* / Eu estou sem o carro hoje.
CORRETO: *I don't have the car today.*
OBSERVE: o padrão típico, nesse caso, é *have something*. Veja mais exemplos: *I don't have the time to read it now.* / Estou sem tempo para ler isto agora; *Classes start tomorrow and I don't have the books yet.* / As aulas começam amanhã e eu ainda estou sem os livros; *Nancy has the keys.* / As chaves estão com a Nancy; *Do you have the envelope?* / O envelope está com você?

be⁴
ERRADO: *We were in five in the car.* / Nós estávamos em cinco no carro.
CORRETO: *There were five of us in the car.*

Observe: o padrão correto, nesse caso, é sempre com o verbo *there to be*. Veja mais exemplos: *There were eight of them in the pool.* / Eles estavam em oito na piscina; *There were only two of us at the restaurant.* / Estávamos apenas em dois no restaurante.

beach

Errado: *We spent the weekend in the beach.* / Nós passamos o final de semana na praia.
Correto: *We spent the weekend at the beach.*
Observe: em inglês, o padrão é sempre *at the beach* (na costa, no litoral) ou *on the beach* (na areia da praia). Veja alguns exemplos: *I usually spend my holidays at the beach.* / Eu geralmente passo as minhas férias na praia; *I forgot my towel on the beach.* / Eu esqueci a minha toalha na praia.

beard

Errado: *I forgot to do my beard this morning.* / Eu esqueci de fazer a barba hoje cedo.
Correto: *I forgot to shave this morning.*
Observe: a maneira mais comum de dizer "fazer a barba" é com o verbo *shave*. Exemplo: *Do you shave every day?* / Você faz a barba todos os dias?

beat

Errado: *I beat my head on the wall* / Eu bati a cabeça na parede.
Correto: *I hit my head on the wall.*
Observe: em inglês, o verbo *beat (up)* geralmente significa "bater", "dar uma surra em alguém". Exemplo: *They beat Tony up after class.* / Eles deram uma surra no Tony depois da aula. Quando nos referimos ao ato de "bater sem intenção (cabeça, perna etc.)", geralmente usamos o verbo *hit*.

beautiful

Errado: *The film is beautiful.* / O filme é lindo.

CORRETO: *The film is interesting; The film is good; The film is wonderful; The film is great.*

OBSERVE: o adjetivo *beautiful* é geralmente usado para se referir a "aparências visuais". Exemplos: *She's beautiful.* / Ela é linda; *The garden looks beautiful.* / O jardim está lindo.

bed¹

ERRADO: *I never go to my bed before 10pm.* / Eu nunca durmo antes das 10 da noite.

CORRETO: *I never go to bed before 10pm.*

OBSERVE: trata-se de uma expressão fixa (*go to bed*), sem o pronome possessivo (*my, your, his*).

bed²

ERRADO: *She stayed in her bed until 11.* / Ela dormiu até as 11 horas.

CORRETO: *She stayed in bed until 11.*

OBSERVE: trata-se de uma expressão fixa (*stay in bed*), sem o pronome possessivo (*my, your, his*).

beef

ERRADO: *She ordered a beef and salad.* / Ela pediu um bife com salada.

CORRETO: *She ordered a steak and salad.*

OBSERVE: a palavra *beef* significa "carne bovina" e é um substantivo incontável, em inglês. Exemplo: *Would you like beef or chicken?* / Você gostaria de comer carne bovina ou de frango? Quando nos referimos ao "corte de carne para bife", geralmente usamos a palavra *steak*, em inglês. Exemplo: *We had a nice strip steak for lunch.* / Nós comemos um belo bife de contrafilé no almoço.

been¹

ERRADO: *I've never been in Recife.* / Eu nunca estive em Recife.

CORRETO: *I've never been to Recife.*

OBSERVE: nesse caso, sempre usamos a preposição *to* depois de been. Exemplos: *Have you ever been to the United States?* / Você já esteve nos Estados Unidos?; *I hadn't been to Goiás before.* / Eu não tinha visitado Goiás antes.

been²

ERRADO: *Last year I've been to Porto Alegre.* / No ano passado eu estive em Porto Alegre.
CORRETO: *Last year I went to Porto Alegre.*
OBSERVE: quando nos referimos a uma ação ou evento no passado com expressões de tempo definido, como *last year / month / week* etc., usamos o tempo verbal *Present Simple*, em inglês. Exemplos: *We went to Greece last year.* / Nós fomos para a Grécia no ano passado; *She went to the bank yesterday morning.* / Ela foi ao banco ontem de manhã; *I saw him last week.* / Eu o vi na semana passada.

believe¹

ERRADO: *I'm not believing what I'm seeing!* / Eu não estou acreditando no que estou vendo!
CORRETO: *I don't believe what I'm seeing!; I can't believe what I'm seeing.*
OBSERVE: geralmente não usamos verbos de estado ou verbos mentais (*like, hate, want* etc.) no gerúndio, em inglês. Veja mais exemplos: *I like the book so far.* / Estou gostando do livro até agora; *I want to go to Europe next summer.* / Estou querendo ir para a Europa no próximo verão.

believe²

ERRADO: *Is George here? I don't believe!* / George está aqui? Eu não acredito!
CORRETO: *Is George here? I don't believe it!*
OBSERVE: em inglês, alguns verbos devem vir sempre acompanhados de um complemento (*it* ou *that*) – verbos transitivos. Exemplo: *I've tried it once, but I didn't like it.* / Eu experimentei uma vez, mas não gostei.

big

ERRADO: *Bob's house is more big than mine.* / A casa do Bob é maior do que a minha.

CORRETO: *Bob's house is bigger than mine.*

OBSERVE: a forma correta do comparativo com *big* é *bigger*. Adjetivos ou advérbios curtos são geralmente acrescidos de "*-er*" para formar o comparativo de superioridade em inglês. Veja alguns exemplos: *Doug is taller than Steve.* / Doug é mais alto do que o Steve; *She looks healthier since she lost weight.* / Ela parece mais saudável desde que perdeu peso; *I can run faster than you.* / Eu consigo correr mais rápido do que você.

board

ERRADO: *We were on board of the airplane when the accident happened.* / Nós estávamos a bordo do avião quando o acidente aconteceu.

CORRETO: *We were on board the airplane when the accident happened.*

OBSERVE: o padrão correto, nesse caso, é *be on board something*, sem a preposição *of*.

boring

ERRADO: *It's boring when people phone during dinner.* / É chato quando as pessoas ligam durante o jantar.

CORRETO: *It's annoying when people phone during dinner; It's irritating when people phone during dinner; It's a pain in the ass when people phone during dinner* (*vulg*).

OBSERVE: a palavra "chato" tem vários significados em português, e nem sempre o equivalente é *boring*, em inglês. A palavra *boring* em inglês significa "entediante", "monótono", "enfadonho". Veja alguns exemplos: *What a boring class!* / Que aula monótona!; *I sat beside a boring accountant on the flight who told me his lifestory.* / Eu sentei ao lado de um contador entediante que me contou toda a vida dele durante o voo.

borrow

ERRADO: *I asked him to borrow me his car.* / Eu pedi a ele que me emprestasse o carro.

CORRETO: *I asked him to lend me his car.*

OBSERVE: o verbo *borrow* significa "pegar ou tomar algo emprestado de alguém". Exemplo: *Can I borrow your book?* / Posso pegar o seu livro emprestado? Quando nos referimos ao ato de "emprestar algo a alguém", usamos o verbo *lend*. Exemplo: *Can you lend me your pen?* / Você pode me emprestar a sua caneta?

Brazilian

ERRADO: *Marcos is brazilian.* / O Marcos é brasileiro.

CORRETO: *Marcos is Brazilian.*

OBSERVE: adjetivos pátrios em inglês sempre se escrevem com letra maiúscula.

bread

ERRADO: *Can you buy some breads?* / Dá para você comprar uns pães?

CORRETO: *Can you buy some bread?*

OBSERVE: *bread* é um substantivo incontável em inglês, e, portanto, não pode ser pluralizado. Quando queremos explicitar quantidade, geralmente usamos *a loaf of bread, two loaves of bread* etc. para pão de fôrma ou *two, three, four etc. bread rolls*, para pão francês.

breakfast

ERRADO: *I usually take breakfast at 8 o'clock.* / Eu geralmente tomo café da manhã às 8 horas.

CORRETO: *I usually have breakfast at 8 o'clock; I usually eat breakfast at 8 o'clock.*

OBSERVE: nesse caso, o padrão é *have / eat breakfast*.

brother

ERRADO: *Do you have brothers?* / Você tem irmãos?

CORRETO: *Do you have (any) brothers or sisters?; Have you got (any) brothers and sisters?*
OBSERVE: a palavra "irmãos" pode ser usada no sentido genérico de "irmãos e irmãs" em português, mas não em inglês. A palavra *brother* só significa "irmão" e nunca "irmã". Exemplos: *I come from a big family with lots of brothers and sisters.*/ Eu venho de uma família grande com muitos irmãos; *I've got three brothers and four sisters.* / Eu tenho três irmãos e quatro irmãs.

brother-in-law
ERRADO: *I have two brother-in-laws.* / Eu tenho dois cunhados.
CORRETO: *I have two brothers-in-law.*
OBSERVE: nesse caso, o substantivo *brother* é que recebe o "s" no plural, e não a palavra *law*.

business[1]
ERRADO: *Are you here for business?* / Você está aqui a negócio?
CORRETO: *Are you here on business?*
OBSERVE: o padrão correto, nesse caso, é *on business*.

business[2]
ERRADO: *We make business with their company.* / Nós fazemos negócios com a empresa deles.
CORRETO: *We do business with their company.*
OBSERVE: o padrão correto, nesse caso, é *do business (with someone)*.

buy
ERRADO: *We have to buy a present to Marcelo.* / Nós temos que comprar um presente para o Marcelo.
CORRETO: *We have to buy a present for Marcelo; We have to buy Marcelo a present.*
OBSERVE: o padrão, nesse caso, é *buy something for someone* ou *buy someone something*, em inglês. Veja mais exemplos: *I bought some books for the kids; I bought the kids some books.* / Eu comprei alguns livros para as crianças.

cafeteria

Errado: *We had a coffee in a cafeteria downtown.* / Nós tomamos um café numa cafeteria no centro.

Correto: *We had a coffee in a café downtown.*

Observe: a palavra *cafeteria* significa "refeitório" (de escola ou empresa), em inglês. Exemplo: *The food at the school cafeteria isn't that bad actually.* / A comida no refeitório da escola não é tão ruim na verdade. Quando nos referimos a uma "lanchonete", geralmente usamos *coffee shop*, *snack bar* ou *café*.

call[1]

Errado: *I called to my girlfriend yesterday.* / Eu liguei para a minha namorada ontem.

Correto: *I called my girlfriend yesterday.*

Observe: não usamos a preposição *to* depois do verbo *call*. Exemplos: *I called a taxi for Marsha;* / Eu chamei um táxi para Marsha; *Call your office immediately.* / Ligue para o seu escritório imediatamente.

call[2]

Errado: *She wanted to do a phone call.* / Ela queria fazer uma ligação.

Correto: *She wanted to make a phone call.*
Observe: o padrão típico, nesse caso, é *make a phone call*,

camera
Errado: *The camera of the tire had a puncture.* / A câmara de ar do pneu tinha um furo.
Correto: *The innertube had a puncture.*
Observe: a palavra *camera* refere-se a "câmera fotográfica". Quando nos referimos à "câmara de ar do pneu", usamos *innertube*.

can
Errado: *Do you can dance?* / Você sabe dançar?
Correto: *Can you dance?*
Observe: o verbo *can* é um verbo modal e não necessita de um verbo auxiliar para formar orações negativas ou interrogativas em inglês. Veja mais exemplos: *I can't hear you.* / Eu não consigo te escutar; *Can't you see that he's lying?* / Você não percebe que ele está mentindo?

can
Errado: *He can't to cook.* / Ele não sabe cozinhar.
Correto: *He can't cook.*
Observe: o padrão correto é *can('t) do something*, sem *to*.

Can you tell me where...?
Errado: *Can you tell me where does she live?* / Você poder me dizer onde ela mora?
Correto: *Can you tell me where she lives?*
Observe: no caso de perguntas constituídas de duas ou mais orações em inglês, apenas a primeira oração fica na forma interrogativa. Exemplos: *Do you know where he lives?* / Você sabe onde ele mora?; *Can you tell me how I can get to the bus station?* / Você pode me dizer

como eu posso chegar à estação rodoviária?; *Can you tell me when the bus leaves?* / Você pode me dizer quando o ônibus parte?

candidate

ERRADO: *They are going to interview the job candidates tomorrow.* / Eles vão entrevistar os candidatos para o emprego amanhã.

CORRETO: *They are going to interview the job applicants tomorrow.*

OBSERVE: a palavra *candidate* é geralmente usada quando nos referimos a um "candidato a um cargo político". Exemplo: *I don't like any of the candidates for governor.* / Eu não gosto de nenhum dos candidatos para governador. Quando nos referimos a um "candidato a uma vaga de emprego", usamos a palavra *applicant*.

cash

ERRADO: *You can pay at the cash.* / Você pode pagar no caixa.

CORRETO: *You can pay at the checkout.*

OBSERVE: *cash* significa "dinheiro vivo" ou "dinheiro em geral", em inglês. Exemplo: *I didn't bring any cash with me.* / Eu não trouxe nenhum dinheiro vivo. Quando nos referimos ao "caixa de supermercado", usamos a palavra *checkout*. Já a pessoa que trabalha no caixa chama-se *cashier*.

change

ERRADO: *You can't change the shirt without the bill.* / Você não pode trocar a camisa sem a nota fiscal.

CORRETO: *You can't exchange the shirt without the bill.*

OBSERVE: quando nos referimos ao ato de "trocar um produto por outro" em uma loja, geralmente usamos o verbo *exchange*.

check[1]

ERRADO: *I paid with a pre-dated check.* / Eu paguei com um cheque pré-datado.

CORRETO: *I paid with a post-dated check.*

Observe: o padrão correto, nesse caso, é *post-dated check*.

check²

Errado: *He made a check of eighty reais and paid his bill.* / Ele fez um cheque de oitenta reais e pagou a conta.
Correto: *He made a check for eighty reais and paid his bill.*
Observe: nesse caso, o padrão é *(make) a check for (fifty dollars/a hundred reais etc.)*.

Christmas

Errado: *I spent christmas with my family.* / Eu passei o Natal com a minha família.
Correto: *I spent Christmas with my family.*
Observe: a palavra *Christmas* é sempre escrita com letra inicial maiúscula em inglês. A regra vale também para *Easter* (Páscoa), *Thanksgiving Day* (Dia de Ação de Graças) etc.

cigar

Errado: *He smokes three packs of cigars a day.* / Ele fuma três maços de cigarro por dia.
Correto: *He smokes three packs of cigarettes a day.*
Observe: *cigar* significa "charuto" e "cigarro" é *cigarette*.

clothes

Errado: *I'm the one who washes the clothes at home.* / Sou eu quem lava as roupas em casa.
Correto: *I'm the one who does the laundry at home.*
Observe: quando nos referimos à "tarefa cotidiana de lavar roupas", geralmente usamos a expressão fixa *do the laundry*.

collar

Errado: *He bought his wife a beautiful collar.* / Ele comprou para a sua esposa um lindo colar.
Correto: *He bought his wife a beautiful necklace.*

Observe: a palavra *collar* significa "gola" ou "colarinho", ou ainda "coleira de cachorro". Quando nos referimos a um "colar" (joia), usamos a palavra *necklace*.

college

Errado: *As soon as I finished college, I went on to university.* / Assim que eu terminei o colégio, eu entrei na universidade.

Correto: *As soon as I finished high school I went on to university.*

Observe: *college* significa "faculdade". Quando nos referimos ao "colégio" ou "ensino médio", dizemos *high school* (Amer) ou *secondary school* (Brit).

combine[1]

Errado: *This tie doesn't combine with your shirt.* / Esta gravata não combina com a sua camisa.

Correto: *This tie doesn't go with your shirt; This tie doesn't match your shirt.*

Observe: em inglês, "combinar" no sentido de "estar em harmonia", "cair bem" é *go with*. Exemplos: *Those earrings really go nicely with that dress.* / Esses brincos caem muito bem com esse vestido; *Do you think this shirt goes well with these pants?* / Você acha que esta camisa combina com essa calça?

combine[2]

Errado: *We combined to meet after work.* / Nós combinamos de nos encontrar depois do expediente.

Correto: *We arranged to meet after work; We made plans to meet after work.*

Observe: em inglês, "combinar", no sentido de "arranjar" ou "planejar" é *arrange* ou *make plans (to do something)*. Exemplo: *We made plans to go to the cinema on Friday.* / Nós combinamos de ir ao cinema na sexta-feira.

come

ERRADO: *Doesn't Barbara come to the party tonight?* / Barbara não vem à festa hoje à noite?

CORRETO: *Isn't Barbara coming to the party tonight?*

OBSERVE: quando nos referimos a uma ação ou a um evento em um futuro próximo ou definido, geralmente usamos o tempo verbal *Present Continuous*, em inglês. Veja outros exemplos: *I'm having lunch with Monica tomorrow.* / Eu vou almoçar com a Monica amanhã; *What are you doing tomorrow at 3:00?* / O que você vai fazer amanhã às 3 horas?

comfortable

ERRADO: *That chair is very confortable.* / Esta cadeira é muito confortável.

CORRETO: *That chair is very comfortable.*

OBSERVE: a ortografia da palavra é *comfortable* com "m", e não com "n".

comparison

ERRADO: *I wouldn't like to do any comparisons with the other teachers.* / Eu não gostaria de fazer nenhuma comparação com os outros professores.

CORRETO: *I wouldn't like to make any comparisons with the other teachers.*

OBSERVE: o padrão, nesse caso, é *make a comparison*.

complain

ERRADO: *He complained of me.* / Ele reclamou de mim.

CORRETO: *He complained about me.*

OBSERVE: o padrão em inglês é *complain about someone or something*. Veja alguns exemplos: *They complained about the food.* / Eles reclamaram da comida; *Don't complain about the weather.* / Não reclame do tempo.

comprehend

ERRADO: *I comprehend her point of view.* / Eu compreendo o ponto de vista dela.

CORRETO: *I understand her point of view; I see her point of view.*

OBSERVE: a palavra *comprehend* é geralmente usada com o significado de "englobar", "incluir", "totalizar". Exemplo: *The contract comprehends a clause with the terms of payment.* / O contrato inclui uma cláusula com os termos de pagamento. Quando nos referimos ao verbo "compreender", geralmente usamos os verbos *understand* ou *see*. Exemplos: *I don't understand half of what he says.* / Eu não entendo metade do que ele diz; *Do you see what I'm saying?* / Você entende o que estou dizendo?

comprehensive

ERRADO: *Thanks for being so comprehensive.* / Obrigado por ser tão compreensivo.

CORRETO: *Thanks for being so understanding.*

OBSERVE: a palavra *comprehensive* significa "completo", "abrangente". Exemplo: *He wrote a comprehensive guide to French wines.* / Ele escreveu um guia completo sobre vinhos franceses. Quando nos referimos a uma pessoa "compreensiva", geralmente usamos o adjetivo *understanding*.

compromise

ERRADO: *I have a compromise at 11:00.* / Eu tenho um compromisso às 11 horas.

CORRETO: *I have an appointment at 11:00; I have an engagement at 11:00.*

OBSERVE: o substantivo *compromise* quer dizer "um acordo em que os dois lados cedem um pouco" ou "meio-termo". Exemplo: *Management and staff reached a compromise.* / A gerência e os funcionários chegaram a um acordo; *She refuses to compromise.* / Ela se recusa a ceder. Quando nos referimos a um "compromisso pessoal ou profissional", geralmente usamos as palavras *appointment* ou *engagement*.

condition

ERRADO: *I don't have conditions to buy a new car.* / Eu não tenho condições de comprar um carro novo.

CORRETO: *I can't afford a new car; I don't have the money to buy a new car.*

OBSERVE: este erro decorre geralmente de tradução direta do português. Quando nos referimos à "condição financeira" de possuir ou adquirir algo, geralmente usamos o padrão *can(not) afford something*. Veja alguns exemplos: *Can she afford that apartment?* / Ela tem condições de pagar aquele apartamento?; *We couldn't afford the trip.* / Nós não tínhamos condições de fazer a viagem.

condominium

ERRADO: *Is the condominium expensive in your building?* / O condomínio é caro no seu prédio?

CORRETO: *Is the condo fee expensive in your building?*

OBSERVE: a palavra *condominium* ou *condo* (forma curta e mais comum) refere-se ao "apartamento" ou "complexo de apartamentos". Exemplos: *I bought a condominium downtown.* / Eu comprei um apartamento no centro; *Have you seen Jack's new condo?* / Você já viu o novo apartamento do Jack? Quando nos referimos à taxa mensal do condomínio, geralmente usamos o termo *condo fee*.

congratulations

ERRADO: *Is it your birthday? Congratulations!* / É seu aniversário? Parabéns!

CORRETO: *Is it your birthday? Happy birthday!*

OBSERVE: a palavra *congratulations* é geralmente usada para parabenizar alguém pelo nascimento de um filho, uma promoção no trabalho, a conclusão de um curso universitário, a celebração de um aniversário de casamento ou outra conquista na vida. Exemplos: *Congratulations on your new book.* / Parabéns pelo seu novo livro; *I just heard about your promotion. Congratulations!* / Eu fiquei sabendo da sua promoção. Parabéns! Quando queremos parabenizar alguém pelo aniversário, dizemos *happy birthday*.

control

ERRADO: *You must control your anger.* / Você deve controlar sua raiva.

CORRETO: *You must control your temper.*

OBSERVE: o padrão, nesse caso, é *control one's temper.*

cooker

ERRADO: *He's a great cooker.* / Ele é um grande cozinheiro.

CORRETO: *He's a great cook.*

OBSERVE: a palavra *cooker* significa "fogão". Quando nos referimos à pessoa que cozinha, ou seja, o cozinheiro, usamos a palavra *cook* ou *chef* (de restaurante).

correction

ERRADO: *Can I do a correction?* / Posso fazer uma correção?

CORRETO: *Can I make a correction?*

OBSERVE: o padrão, nesse caso, é *make a correction.*

cost

ERRADO: *How much will cost the repair?* / Quanto vai custar o conserto?

CORRETO: *How much will the repair cost?*

OBSERVE: nesse caso, sempre colocamos o objeto antes do verbo, em inglês. Veja alguns exemplos: *What does it cost?* / Quanto custa?; *How much did the trip cost?* / Quanto custou a viagem?; *How long does the trip take?* / Quanto tempo leva a viagem?; *When did the alarm go off?* / Quando o alarme disparou?

costume

ERRADO: *He has the costume of arriving late.* / Ele tem o costume de chegar atrasado.

Correto: *He has the habit of arriving late.*
Observe: a palavra *costume* significa "fantasia" (roupa). Quando nos referimos ao "costume" ou "hábito" de alguém, usamos a palavra *habit*.

course[1]

Errado: *I'm making an English course.* / Eu estou fazendo um curso de inglês.
Correto: *I'm taking an English course; I'm doing an English course.*
Observe: o padrão, nesse caso, é *take / do a course*. Veja mais um exemplo: *Are you still taking that cooking course?* / Você ainda está fazendo aquele curso de culinária?

course[2]

Errado: *She has a university course.* / Ela tem um curso universitário.
Correto: *She has a university degree.*
Observe: a palavra *course* no contexto acadêmico significa "disciplina". Quando nos referimos ao "diploma ou grau universitário", usamos a palavra *degree*. Exemplo: *What is your degree in?* / Você é formado em quê?

curiosity

Errado: *Only a curiosity, how did you get here?* / Só uma curiosidade, como você chegou aqui?
Correto: *Just out of curiosity, how did you get here?*
Observe: *just out of curiosity* representa uma expressão fixa muitas vezes usada antes de uma pergunta pessoal.

damage

Errado: *The wind made a lot of damage.* / O vento fez muito estrago.

Correto: *The wind caused a lot of damage; The wind did a lot of damage.*

Observe: o padrão de uso, nesse caso, é *cause / do (a lot of) damage*.

dark

Errado: *When it became dark we left the park.* / Quando ficou escuro, nós fomos embora do parque.

Correto: *When it got dark we left the park.*

Observe: o padrão, nesse caso, é *get dark / cold / hot* etc.

day[1]

Errado: *He works hard all the day.* / Ele trabalha duro o dia todo.

Correto: *He works hard all day.*

Observe: a expressão fixa é *all day*, sem o artigo *the*.

day[2]

Errado: *Which day is it today?* / Que dia é hoje?

day

Correto: *What's the date today?*

Observe: quando nos referimos ao dia da semana (segunda, terça etc.) perguntamos *"What day is it today?"*. Quando nos referimos à data do mês, perguntamos *"What's the date today?"* ou *"What's today's date?"*

day[3]

Errado: *I jog one day yes, one day no.* / Eu faço *cooper* dia sim, dia não.

Correto: *I jog every other day; I jog every second day; I jog every two days.*

Observe: os padrões, nesse caso, são *every other day*, *every second day*, *every two days*.

day[4]

Errado: *Another day I saw Fernando in the street.* / Outro dia eu vi o Fernando na rua.

Correto: *The other day I saw Fernando in the street.*

Observe: trata-se de uma expressão fixa e o padrão é sempre *the other day*, que quer dizer "outro dia" ou "um dia desses".

day[5]

Errado: *What have you been doing in these days?* / O que você anda fazendo por esses dias?

Correto: *What have you been doing these days?*

Observe: o padrão, nesse caso, é *these days*, sem *in*.

deal

Errado: *We made a deal with an American company.* / Nós fechamos negócio com uma empresa americana.

Correto: *We cut a deal with an American company; We closed a deal with an American company.*

Observe: o padrão típico, nesse caso, é *cut a deal* ou *close a deal*.

death

ERRADO: *There were two deaths of yellow fever in Brasília.* / Houve duas mortes por febre amarela em Brasília.

CORRETO: *There were two deaths from yellow fever in Brasília.*

OBSERVE: o padrão de uso, nesse caso, é *death from yellow fever/ cancer etc.* Exemplo: *The number of deaths from breast cancer has decreased significantly.* / O número de mortes por câncer de mama tem diminuído significativamente.

deception

ERRADO: *Our team lost. What a deception!* / O nosso time perdeu. Que decepção!

CORRETO: *Our team lost. What a letdown!; Our team lost. What a disappointment!; Our team lost. What a blow!*

OBSERVE: a palavra *deception* significa "enganação", "fraude", "armação". Exemplo: *My partner had been stealing money from the company for years and even involved some of the employees in the deception.* / O meu sócio estava roubando dinheiro da empresa havia anos e até envolveu alguns dos funcionários na armação.

decorate

ERRADO: *The teacher asked us to decorate the poem.* / A professora nos pediu para decorar o poema.

CORRETO: *The teacher asked us to memorize the poem; The teacher asked us to learn the poem by heart.*

OBSERVE: a palavra *decorate* significa "enfeitar", "embelezar", "decorar". Exemplo: *They decorated the office for the party.* / Eles enfeitaram o escritório para a festa; *She decorated her apartment with beautiful Persian carpets.* / Ela decorou o apartamento com lindos tapetes persas. Quando nos referimos ao ato de "memorizar algo" ou "saber de cor", geralmente usamos o verbo *memorize* ou o padrão *learn something by heart*.

depend

ERRADO: *I might go to the beach this weekend. It depends of the weather.* / Talvez eu vá para a praia neste final de semana. Depende do tempo.

CORRETO: *I might go to the beach this weekend. It depends on the weather.*

OBSERVE: o padrão típico, nesse caso, é *(it) depends on something*.

desire

ERRADO: *I desire to move to the city to get a better job.* / Eu desejo me mudar para a cidade para conseguir um emprego melhor.

CORRETO: *I want to move to the city to get a better job; I'd like to move to the city to get a better job.*

OBSERVE: o verbo *desire* é geralmente usado em contextos formais ou literários. Exemplo: *We'll do whatever your heart desires, my dear.* / Faremos aquilo que o teu coração deseja, meu bem. Para outros casos, geralmente usamos os verbos *want* ou *would like*.

detail

ERRADO: *The lawyer studied the contract in details.* / O advogado estudou o contrato em detalhes.

CORRETO: *The lawyer studied the contract in detail.*

OBSERVE: o padrão, nesse caso, é sempre *in detail*, no singular. Exemplo: *She told me her troubles in detail.* / Ela me contou suas dificuldades em detalhes.

diet

ERRADO: *You'll have to make a diet.* / Você vai ter de fazer um regime.

CORRETO: *You'll have to go on a diet.*

OBSERVE: o padrão, típico, nesse caso, é *go on a diet*.

different

ERRADO: *The history teacher is very different of the mathematics teacher.* / A professora de história é muito diferente da professora de matemática.

CORRETO: *The history teacher is very different from the mathematics teacher; The history teacher is very different to the mathematics teacher.*

OBSERVE: o padrão típico, nesse caso, é *be different from someone/ something* ou *be different to someone/something*.

difficult

ERRADO: *Did you have difficulty to find my apartment?* / Você teve dificuldade para achar o meu apartamento?

CORRETO: *Did you have difficulty in finding my apartment?; Did you have difficulty finding my apartment?; Did you have trouble finding my apartment?*

OBSERVE: o padrão, nesse caso, é *have difficulty (in) doing something* ou *have difficulties (in) doing something*. Outra alternativa é *have trouble doing something*. Exemplo: *We had trouble getting the children to sleep.* / Nós tivemos dificuldade para fazer as crianças dormir.

dinner

ERRADO: *Who's going to do dinner tonight?* / Quem vai fazer o jantar hoje à noite?

CORRETO: *Who's going to make dinner tonight?; Who's going to cook dinner tonight?*

OBSERVE: o padrão de uso, nesse caso, é *make / cook dinner*.

discount

ERRADO: *They give you ten per cent of discount.* / Eles te dão dez por cento de desconto.

CORRETO: *They give you a ten per cent discount.*

discuss

OBSERVE: o padrão é *give/get/offer/ask for etc. a (10) per cent discount (on something)*, sem a preposição *of*. Exemplo: *We got a 20 per cent discount on the new model.* / Nós conseguimos 20 por cento de desconto no modelo novo.

discuss¹

ERRADO: *They were discussing in the other room.* / Eles estavam discutindo no outro quarto.

CORRETO: *They were arguing in the other room; They were having a fight in the other room; They were having a row in the other room* (Brit).

OBSERVE: o verbo *discuss* significa "conversar" ou "debater sobre algo". Exemplo: *We discussed her problems at work.* / Nós conversamos sobre os problemas dela no trabalho. Quando nos referimos ao ato de "bater boca" ou "brigar", geralmente usamos *argue*, *have a fight* ou *have a row* (Brit).

discuss²

ERRADO: *Let's discuss about the new project.* / Vamos falar sobre o novo projeto.

CORRETO: *Let's discuss the new project.*

OBSERVE: o padrão, nesse caso, é *discuss something (with someone)*, sem preposição após o verbo. Exemplo: *They discussed the budget with the director.* / Eles conversaram sobre o orçamento com o diretor.

discuss³

ERRADO: *It's a good idea. Let's discuss with the others.* / É uma boa ideia. Vamos discutir com os outros.

CORRETO: *It's a good idea. Let's discuss it with the others.*

OBSERVE: o verbo *discuss* é um verbo transitivo, assim sempre requer um complemento/objeto. O padrão é sempre *discuss something (with someone)*. Veja alguns exemplos: *We discussed the new budget.* / Nós conversamos sobre o novo orçamento; *I discussed the* *problem with the sales team.* / Eu discuti o problema com a equipe de vendas.

distant
ERRADO: *My work is distant from my house.* / Meu trabalho é distante da minha casa.
CORRETO: *My work is far from my house.*
OBSERVE: embora não seja essencialmente errado usar *distant from*, é muito mais comum se dizer *far from* nesse caso, em inglês. Exemplo: *How far is Rio from São Paulo?* / Qual é a distância entre o Rio e São Paulo?

divorce
ERRADO: *My sister wants to divorce.* / A minha irmã quer se divorciar.
CORRETO: *My sister wants to get divorced; My sister wants to get a divorce.*
OBSERVE: o padrão, nesse caso, é *get divorced*, com as alternativas *get a divorce* ou *divorce someone*. Veja alguns exemplos: *Janet got a divorce after two years of marriage.* / A Janet se divorciou depois de dois anos de casamento; *When did you get divorced?* / Quando você se divorciou?; *She divorced her husband last year.* / Ela se divorciou do marido no ano passado.

Do you know...?
ERRADO: *Do you know what time is it?* / Você sabe que horas são?
CORRETO: *Do you know what time it is?*
OBSERVE: trata-se de um caso de duas orações encaixadas ou *embedded questions* em inglês, em que a primeira oração fica na forma interrogativa e a segunda permanece na forma afirmativa. Exemplos: *Do you know why she is here?* / Você sabe por que ela está aqui?; *Do you know where the bank is?* / Você sabe onde fica o banco?; *Do you know when the movie starts?* / Você sabe quando começa o filme?

dormitory

ERRADO: *How many dormitories does the apartment have?* / Quantos dormitórios o apartamento tem?

CORRETO: *How many bedrooms does the apartment have?*

OBSERVE: a palavra *dormitory* quer dizer "alojamento" (de estudantes, por exemplo). Quando nos referimos a um "dormitório" ou "quarto", geralmente usamos *bedroom*.

dream¹

ERRADO: *I dream to go to Europe one day.* / Eu sonho em viajar para a Europa um dia.

CORRETO: *I dream of going to Europe one day.*

OBSERVE: o padrão, nesse caso, é *dream of doing something*.

dream²

ERRADO: *I dreamed with you last night.* / Eu sonhei com você ontem à noite.

CORRETO: *I had a dream about you last night; You were in my dream last night.*

OBSERVE: o padrão mais comum, nesse caso, é *have a dream about someone/something* ou *be in one's dream*, em inglês. Exemplos: *I had a dream about Fred.* / Eu sonhei com o Fred; *I sometimes have dreams about the ocean.* / Eu às vezes sonho com o mar.

drink

ERRADO: *Would you like to take a drink?* / Você gostaria de tomar uma bebida?

CORRETO: *Would you like to have a drink?*

OBSERVE: o padrão típico, nesse caso, é *have a drink*.

during

ERRADO: *We waited for the bus during 30 minutes.* / Nós esperamos pelo ônibus durante 30 minutos.

during

Correto: *We waited for the bus for 30 minutes.*

Observe: *during* é usado quando fazemos referência a um determinado "marco de tempo" ou "evento" (*day, summer, party*). Exemplo: *He talked to everyone during the party.* / Ele conversou com todo mundo durante a festa. No entanto, quando nos referimos à "duração de tempo" de algo, geralmente usamos a preposição *for*. Exemplo: *We waited for 2 hours.* / Nós esperamos por 2 horas.

economy

ERRADO: *He studies economy.* / Ele estuda economia.
CORRETO: *He studies economics.*
OBSERVE: a palavra *economy* refere-se à economia de um país. Exemplo: *Falling exports will hurt the economy.* / A queda de exportações vai prejudicar a economia. Quando nos referimos ao "curso" ou "estudo de economia", usamos a palavra *economics*.

edit

ERRADO: *The newspaper is edited in São Paulo.* / O jornal é editado em São Paulo.
CORRETO: *The newspaper is published in São Paulo.*
OBSERVE: o verbo *edit* significa "ler e revisar um texto para publicação". Exemplo: *The text is too long and will have to be edited.* / O texto está muito longo e terá de ser revisado. Quando nos referimos ao ato de produzir um livro, revista ou jornal para vender ao público, usamos o verbo *publish*, em inglês. Exemplo: *They publish books for children.* / Eles publicam livros para crianças.

editor

ERRADO: *Who is the editor of the book?* Quem é a editora do livro?
CORRETO: *Who is the publisher of the book?*

elaborate

OBSERVE: a palavra *editor* refere-se à pessoa que trabalha na edição de livro, revista, jornal etc., ou seja, o "organizador", "editor", "redator", em inglês. Veja alguns exemplos: *My editor suggested I rewrite the first two chapters of the book.* / O meu editor sugeriu que eu reescrevesse os dois primeiros capítulos do livro; *The editor of the Times decided not to publish the article.* / O redator do jornal *The Times* decidiu não publicar o artigo. Quando nos referimos a uma empresa que publica os livros, usamos a palavra *publisher*.

educated

ERRADO: *He's not very educated. He was rude with the waiter.* / Ele não é muito educado. Ele foi grosso com o garçom.

CORRETO: *He's not very polite. He was rude with the waiter.*

OBSERVE: a palavra *educated* refere-se ao grau de escolaridade e não ao comportamento de uma pessoa, em inglês. Quando nos referimos a uma pessoa bem-educada, cortês etc., usamos a palavra *polite*.

effect

ERRADO: *The medicine didn't make any effect.* / O remédio não fez nenhum efeito.

CORRETO: *The medicine didn't have any effect.*

OBSERVE: o padrão típico, nesse caso, é *have an effect*.

elaborate

ERRADO: *We have to elaborate a text for English class.* / Nós temos de elaborar um texto para a aula de inglês.

CORRETO: *We have to create a text for English class; We have to write a text for English class.*

OBSERVE: o verbo *elaborate* significa "contar ou explicar algo em detalhes". Exemplos: *Could you elaborate on your plan?* / Você pode contar em detalhes qual é o seu plano?; *I asked her what happened, but she wouldn't elaborate.* / Eu perguntei o que havia acontecido, mas ela não quis contar detalhes.

electric

ERRADO: *Our company makes electric parts for cars.* / A nossa empresa faz peças elétricas para carros.

CORRETO: *Our company makes electrical parts for cars.*

OBSERVE: o adjetivo *electric* significa "movido à eletricidade". Exemplos: *I have an electric toothbrush.* / Eu tenho uma escova de dentes elétrica; *I've never seen an electric car.* / Eu nunca vi um carro elétrico; *We can't live without electric light.* / Nós não podemos viver sem luz elétrica. Já o adjetivo *electrical* é usado de uma forma geral para descrever algo associado à eletricidade. Exemplos: *He's an electrical engineer.* / Ele é engenheiro elétrico; *The electrical system is not working.* / O sistema elétrico não está funcionando.

end[1]

ERRADO: *At the end, we found a good place to eat.* / No final, achamos um lugar legal para comer.

CORRETO: *In the end, we found a good place to eat.*

OBSERVE: usamos *in the end* geralmente para dizer que algo "finalmente" aconteceu ou acontecerá. Exemplo: *Everything will be fine in the end.* / Tudo vai dar certo no final. Já a expressão *at the end* é geralmente usada para descrever a "posição geográfica ou temporal" de algo. Exemplos: *The bathroom is at the end of the corridor.* / O banheiro fica no final do corredor; *At the end of the course you receive a certificate.* / No final do curso você recebe um certificado.

end[2]

ERRADO: *We ended staying another night at the hotel.* / Nós acabamos ficando mais uma noite no hotel.

CORRETO: *We ended up staying another night at the hotel.*

OBSERVE: o verbo *end* significa "acabar, terminar, encerrar, finalizar etc.", em inglês. Exemplo: *The film ends at 10:00.* / O filme termina às 10 horas. A expressão equivalente a "acabar em algum lugar" ou "acabar fazendo algo" é *end up somewhere* ou *end up doing something*, em inglês. Exemplos: *He'll probably end up in* *jail*. / Ele provavelmente acabará na cadeia; *I ended up attending the meeting*. / Eu acabei participando da reunião.

English[1]

ERRADO: *He doesn't have a good English.* / Ele não tem um bom inglês.

CORRETO: *He doesn't speak English well; His English isn't very good.*

OBSERVE: o padrão típico, nesse caso, é *speak English/Portuguese etc. well* ou *one's English/Spanish etc. is(not) (very) good.*

English[2]

ERRADO: *I study english.* / Eu estudo inglês.
CORRETO: *I study English.*

OBSERVE: línguas são sempre escritas com letra inicial maiúscula, em inglês. A mesma regra se aplica para nacionalidades, dias da semana e meses. Exemplo: *Pietro is Italian.* / O Pietro é italiano.

English[3]

ERRADO: *The English is very important in my work.* / O inglês é muito importante no meu trabalho.
CORRETO: *English is very important in my work.*

OBSERVE: normalmente não acrescentamos o artigo *the* antes de línguas, em inglês. Exemplo: *I'd like to learn Italian.* / Eu gostaria de aprender italiano.

enjoy

ERRADO: *I enjoy to go out with my friends.* / Eu gosto de sair com os meus amigos.
CORRETO: *I enjoy going out with my friends.*

OBSERVE: o padrão, nesse caso, é *enjoy doing something*. Exemplos: *I enjoy reading.* / Eu gosto de ler; *Do you enjoy surfing the net?* / Você gosta de navegar na internet?

enter¹

ERRADO: *He entered into the room.* / Ele entrou no quarto.

CORRETO: *He entered the room.*

OBSERVE: o padrão típico, nesse caso, é *enter a room/building etc.*, sem a preposição *in*. Excepcionalmente o verbo *enter* pode vir acompanhado da preposição *into* em casos específicos e com substantivos abstratos. Exemplos: *The company entered into agreement with the shareholders.* / A empresa entrou em acordo com os acionistas; *They refused to enter into talks before a cease-fire.* / Eles se recusaram a entrar em negociações antes de um cessar-fogo; *The city has entered into the Christmas spirit in a big way.* / A cidade realmente entrou no espírito natalino.

enter²

ERRADO: *I didn't enter university the first time I tried.* / Eu não entrei na faculdade na primeira vez que tentei.

CORRETO: *I didn't get into university the first time I tried.*

OBSERVE: o padrão típico, nesse caso, é *get into university*.

enter³

ERRADO: *I entered the bus with the other passengers.* / Eu entrei no ônibus com os outros passageiros.

CORRETO: *I got on the bus with the other passengers; I boarded the bus with the other passengers.*

OBSERVE: quando nos referimos ao ato de embarcar em meios de transporte como ônibus, trem, barco, avião etc., geralmente usamos *get on* ou *board*. Exemplos: *We'll get on that plane in five minutes.* / Nós vamos entrar naquele avião em cinco minutos; *What time do we have to board the ship?* / A que horas temos de embarcar no navio?

equipment

ERRADO: *The company ordered the equipments.* / A empresa encomendou os equipamentos.

CORRETO: *The company ordered the equipment.*

OBSERVE: o substantivo *equipment* é incontável em inglês e, portanto, não pode ser pluralizado. Quando precisamos expressar quantidade, usamos *a piece of equipment, two pieces of equipment* etc.

estate

ERRADO: *She lives in the estate of São Paulo.* / Ela mora no Estado de São Paulo.

CORRETO: *She lives in the state of São Paulo.*

OBSERVE: a palavra *estate* significa "propriedade", "casa", "terreno" etc., ou, ainda, "bens de uma pessoa falecida". Exemplo: *They distributed Mr. Nichol's estate.* / Eles distribuíram os bens do Sr. Nichol. Quando nos referimos ao "estado", usamos a palavra *state*, em inglês. Exemplo: *What state are you from?* / De que estado você é?

eventual

ERRADO: *I'm an eventual teacher.* / Eu sou professor eventual.

CORRETO: *I'm a substitute teacher; I'm a sub (teacher).*

OBSERVE: a palavra *eventual* significa "que acontece num tempo futuro não especificado", "final", "consequente". Exemplo: *His eventual defeat will bring new blood to the White House.* / A consequente derrota dele trará sangue novo à Casa Branca. Quando nos referimos a um "professor eventual", geralmente dizemos *substitute teacher* ou *sub teacher*.

eventually

ERRADO: *I met her at the club eventually.* / Eu a conheci no clube eventualmente.

CORRETO: *I met her at the club by chance.*

OBSERVE: a palavra *eventually* significa "finalmente", "no futuro próximo", "no final". Exemplo: *She will understand my reasons eventually.* / Ela vai entender as minhas razões no final. Quando nos referimos ao advérvio "eventualmente", geralmente usamos o termo *by chance*.

everybody

ERRADO: *Everybody like that band.* / Todo mundo gosta dessa banda.

CORRETO: *Everybody likes that band.*

OBSERVE: o pronome *everybody* pertence à terceira pessoa do singular em inglês (*he, she, it*), assim o verbo deve também ser conjugado na terceira pessoa do singular. O mesmo se aplica a *everyone, anyone, anybody, someone, somebody, no one* etc. Veja mais exemplos: *Does anyone here know her?* / Alguém aqui a conhece?; *Somebody needs to fix this.* / Alguém precisa consertar isto; *If everyone is ready, we can start.* / Se todos estiverem prontos, podemos começar.

example

ERRADO: *He gives a good example for the others.* / Ele dá um bom exemplo para os outros.

CORRETO: *He sets a good example for the others.*

OBSERVE: o padrão, nesse caso, é sempre *set a good / bad example (for someone)*.

excuse

ERRADO: *Excuse me for arriving so late.* / Desculpe-me por chegar tão atrasado.

CORRETO: *I'm sorry for arriving so late.*

OBSERVE: usamos *excuse me* geralmente quando queremos "atrair a atenção de alguém". Exemplos: *Excuse me but I've got to say something.* / Com licença, mas eu preciso dizer algo; *Excuse me. Have you got the time?* / Com licença. Você tem horas? Quando queremos pedir desculpas por algo, geralmente usamos *I'm sorry* ou apenas *Sorry*. Exemplos: *I'm sorry I forgot it was your birthday.* / Desculpe-me, eu esqueci do seu aniversário; *Sorry about what I said last night.* / Desculpe pelo que eu disse ontem à noite.

exercise

ERRADO: *I make exercises every day to keep in shape.* / Eu faço exercícios todos os dias para manter a forma.

CORRETO: *I do exercises every day to keep in shape; I exercise every day to keep in shape.*

OBSERVE: o padrão de uso, nesse caso, é *do exercises* ou apenas *exercise*.

exist

ERRADO: *Exists a product to clean carpets.* / Existe um produto para limpar tapetes.

CORRETO: *There is a product to clean carpets.*

OBSERVE: quando queremos expressar a existência de algo ou alguém, geralmente usamos o padrão *there to be* em posição inicial na oração. Exemplos: *There are some nice places to eat around here.* / Há bons lugares para comer por aqui; *Are there any English schools in your town?* / Existe alguma escola de inglês na sua cidade?

expensive

ERRADO: *The prices are expensive at that store.* / Os preços são caros naquela loja.

CORRETO: *The prices are high at that store.*

OBSERVE: quando descrevemos preços ou custos de algo, usamos *high* (alto) ou *low* (baixo), mas não *expensive*. Exemplos: *It's an expensive wine.* / É um vinho caro. *Harrod's is probably the most expensive store in London;* / Harrod's é provavelmente a loja mais cara em Londres; *Paris has a high cost of living.* / Paris tem um alto custo de vida; *We took advantage of the low price and bought two laptops.* / Nós aproveitamos o preço baixo e compramos dois laptops.

experience

ERRADO: *We always do experiences in the lab.* / Nós sempre fazemos experiências no laboratório.

experiment

Correto: *We always do experiments in the lab.*
Observe: a palavra *experience* refere-se a "experiência" ou "conhecimento". Exemplo: *I have a lot of experience with computers.* / Eu tenho bastante experiência com computadores. Quando nos referimos à "experiência científica", usamos *experiment*.

experiment

Errado: *I used to make science experiments in the school lab.* / Eu costumava fazer experiências científicas no laboratório da escola.
Correto: *I used to do science experiments in the school lab; I used to conduct science experiments in the school lab.*
Observe: os padrões, nesse caso, são *do an experiment* ou *conduct an experiment*.

explain

Errado: *I'll explain you.* / Eu te explico.
Correto: *I'll explain it to you.*
Observe: o padrão de uso, nesse caso, é *explain something to someone*. Exemplo: *I'll explain the film to you.* / Eu vou explicar o filme para você.

explode

Errado: *Terrorists exploded the car.* / Os terroristas explodiram o carro.
Correto: *Terrorists blew up the car.*
Observe: quando não mencionamos o agente da ação, usamos o padrão *something blows up* ou *something explodes*. Exemplos: *The machine blew up.* / A máquina explodiu; *The bomb exploded before the police arrived.* / A bomba explodiu antes de a polícia chegar. Quando o agente da ação é mencionado, usamos o padrão *someone blows something up*. Exemplo: *They blow up the bridge in one of the scenes of the movie.* / Eles explodem a ponte em uma das cenas do filme.

explore

ERRADO: *They are exploring their employees.* / Eles estão explorando os funcionários.

CORRETO: *They are exploiting their employees.*

OBSERVE: o verbo *explore* significa "conhecer, explorar, examinar etc.", e é geralmente usado quando nos referimos a novos lugares ou áreas do conhecimento. Exemplos: *The British explored the coast of Canada for decades before establishing a colony.* / Os ingleses exploraram a região costeira do Canadá por décadas antes de formar uma colônia; *We must explore all the alternatives before making a decision.* / Nós temos de examinar todas as alternativas antes de tomar uma decisão. Quando nos referimos ao ato de "explorar" alguém ou algo de maneira negativa, geralmente usamos o verbo *exploit*, em inglês. Exemplo: *Colonists exploited the local population on their farms.* / Os colonizadores exploravam a população local em suas fazendas.

f

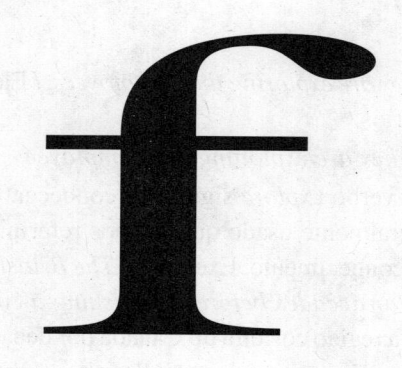

fabric

ERRADO: *Ford opened a new fabric.* / A Ford abriu uma nova fábrica.

CORRETO: *Ford opened a new factory; Ford opened a new plant.*

OBSERVE: a palavra *fabric* significa "tecido, pano", em inglês. Exemplo: *Sue bought some fabric to make new curtains.* / Sue comprou um tecido para fazer novas cortinas. Quando nos referimos a uma "fábrica", dizemos *factory* ou *plant*.

facilitate

ERRADO: *Can you facilitate the payment?* / Você pode facilitar o pagamento?

CORRETO: *Can you give me terms?*

OBSERVE: embora exista, a palavra *facilitate* não é geralmente usada neste contexto. Quando nos referimos a facilidade no pagamento (parcelas ou tempo para pagar), podemos usar a palavra *terms*. Veja alguns exemplos com outras possibilidades: *Can I pay with a post-dated check?* / Posso pagar com cheque pré-datado?; *Can I pay in installments?* / Posso parcelar o pagamento?; *Can I pay with a credit card?* / Posso pagar com cartão de crédito?

faculty

ERRADO: *She studies at a faculty downtown.* / Ela estuda numa faculdade no centro da cidade.

CORRETO: *She studies at a university downtown; She studies at a college downtown.*

OBSERVE: a palavra *faculty* significa "corpo docente" ou "curso dentro de uma universidade". Exemplos: *The faculty is on strike.* / O corpo docente está em greve; *Here's the faculty of engineering.* / Aqui fica o curso de engenharia. Quando nos referimos a uma "faculdade" ou "universidade", geralmente usamos *college* ou *university*.

fantasy

ERRADO: *Are you going to wear a fantasy to the party?* / Você vai usar uma fantasia na festa?

CORRETO: *Are you going to wear a costume to the party?; Are you going to wear a fancy dress to the party?* (Brit).

OBSERVE: a palavra *fantasy* significa "fantasia da imaginação" ou "ficção". Exemplos: *She lives in a fantasy world.* / Ela vive num mundo de fantasia; *It's difficult to separate the fantasy from the facts in his testimony.* / É difícil separar a ficção dos fatos no depoimento dele. Quando nos referimos a uma "fantasia de vestir", usamos *costume* ou *fancy dress*.

far

ERRADO: *My work is only 10 minutes far away from home.* / O meu trabalho fica a apenas 10 minutos da minha casa.

CORRETO: *My work is only 10 minutes away from home.*

OBSERVE: a palavra *far* significa "longe" e *far away* "muito longe". Exemplo: *Sandra lives far away so I don't see her very often.* / Sandra mora muito longe, assim eu não a vejo com muita frequência. Quando especificamos uma distância usando números, geralmente usamos *away (from)*, e não *far away (from)*. Exemplos: *The school is only a kilometer away from our house.* / A escola fica a apenas um quilômetro da nossa casa; *We're ten minutes away from the airport.* / Nós estamos a dez minutos do aeroporto.

farm

ERRADO: *I grew up in a farm.* / Eu cresci numa fazenda.

CORRETO: *I grew up on a farm.*

OBSERVE: o padrão de uso é sempre *on a farm*. Exemplo: *He works on a farm.* / Ele trabalha numa fazenda.

fat

ERRADO: *You look a bit fat.* / Você está um pouco gordo.

CORRETO: *You look a bit overweight; You look a bit heavy; You look a bit chubby.*

OBSERVE: o adjetivo *fat* em inglês significa "gordo" e pode ser ofensivo. Quando nos referimos a uma pessoa que está acima do peso ideal de forma mais delicada e gentil, geralmente usamos o adjetivo *overweight*, ou ainda *heavy* ou *chubby*. Exemplo: *Johnny looks a bit chubby.* / O Johnny está meio gordinho.

fear[1]

ERRADO: *I have fear of dogs.* / Eu tenho medo de cachorros.

CORRETO: *I'm afraid of dogs.*

OBSERVE: a palavra *fear* significa "medo" ou "temer", porém o seu uso como substantivo é bem mais frequente do que como verbo, em inglês. Exemplos: *You have to control your fears.* / Você tem de controlar os seus medos; *Economists fear the consequences of another increase in interest rates.* (*form*) / Os economistas temem as consequências de outro aumento da taxa de juros. O padrão de uso mais típico na fala é *be afraid of something/someone*. Exemplo: *You're not afraid of thunder, are you?* / Você não tem medo de trovão, tem?

fear[2]

ERRADO: *I was with fear.* / Eu estava com medo.

Correto: *I was afraid.*

Observe: os padrões de uso, nesse caso, são *be afraid of something/ someone* ou *be afraid to do something* ou ainda *be afraid of doing something.* Veja alguns exemplos: *I'm afraid of dogs.* / Eu tenho medo de cães; *He is afraid to speak in public.* / Ele tem medo de falar em público. *She is afraid of catching a cold.* / Ela está com medo de pegar um resfriado.

feel

Errado: *I'm feeling happy about the results.* / Eu estou me sentindo feliz com os resultados.

Correto: *I feel happy about the results.*

Observe: o verbo *feel* geralmente não é usado no gerúndio em inglês. Exemplos: *He feels his career is over.* / Ele sente que a carreira dele está acabada; *Can you feel the wind on your face?* / Você está sentindo o vento no seu rosto?

fill

Errado: *His glass was filled with beer.* / O copo dele estava cheio de cerveja.

Correto: *His glass was full of beer.*

Observe: o verbo *fill* significa "preencher, completar" e é geralmente usado na forma ativa. Exemplo: *Fill in the blanks with the correct verb.* / Preencha as lacunas com o verbo correto. Para dizer que algo está "cheio, repleto", geralmente usamos o padrão *be full of something.* Exemplos: *The movie is full of funny scenes.* O filme é cheio de cenas engraçadas; *The testimony was full of incorrect information.* / O depoimento estava repleto de informações incorretas.

find

Errado: *I find difficult to change jobs.* / Eu acho difícil mudar de emprego.

Correto: *I find it difficult to change jobs.*

OBSERVE: o padrão, nesse caso, é sempre *find it difficult/easy etc. to do something,* sempre com o pronome neutro *it.* Exemplo: *You'll find it very easy to drive this car.* / Você vai achar muito fácil dirigir este carro.

fingers

ERRADO: *He stepped on a piece of glass and cut his finger.* / Ele pisou num caco de vidro e cortou o dedo.

CORRETO: *He stepped on a piece of glass and cut his toe.*

OBSERVE: em inglês, usamos a palavra *finger* apenas quando nos referimos aos "dedos da mão"; quando nos referimos aos "dedos dos pés" ou "artelhos", usamos *toes.*

floor

ERRADO: *Look! Your book is in the floor.* / Olha! O seu livro está no chão.

CORRETO: *Look! Your book is on the floor.*

OBSERVE: a preposição usada com a palavra *floor* é sempre *on*, em inglês. Exemplo: *He sat on the floor.* / Ele sentou-se no chão.

food

ERRADO: *They served many different foods.* / Eles serviram muitas comidas diferentes.

CORRETO: *They served many different dishes.*

OBSERVE: a palavra *food* é um substantivo incontável e, portanto, não pode ser pluralizada, em inglês. Exemplo: *There's no food in the house.* / Não tem comida na casa. Quando nos referimos ao "prato" ou "comida preparada", geralmente usamos *dish*. Veja mais exemplos: *This is a local dish.* / Esta é uma comida típica da região (prato local); *Tandoori chicken is my favourite Indian dish.* / Tandoori chicken é a minha comida indiana predileta.

forty

ERRADO: *He's fourty years old.* / Ele tem quarenta anos.

Correto: *He's forty years old.*
Observe: a grafia correta do numeral "quarenta" é *forty*, sem "u".

friends

Errado: *Mike and I were very friends.* / Mike e eu éramos muito amigos.
Correto: *Mike and I were good friends; Mike and I were very friendly.*
Observe: a palavra *friend* é um substantivo e, portanto, não pode ser precedida do advérbio *very*, em inglês. Já a palavra *friendly* é um adjetivo, portanto, pode vir acompanhada de *very*.

from[1]

Errado: *She gave me a little box made from wood.* / Ela me deu uma caixinha feita de madeira.
Correto: *She gave me a little box made of wood.*
Observe: quando algo é feito de materiais que não são mais reconhecíveis e não estão mais no seu estado original, costumamos usar a preposição *from*. Exemplos: *Wine is made from grapes.* / O vinho é feito da uva; *Cheese is made from milk, rennet and salt.* O queijo é feito de leite, coalho e sal. Quando um objeto é feito com matéria-prima, ou seja, não processado, geralmente usamos a preposição *of*. Exemplos: *She wore a necklace made of gold.* / Ela usava um colar feito de ouro; *I gave her a scarf made of silk.* / Eu dei a ela uma echarpe feita de seda; *It's made of plastic.* / Isto é feito de plástico.

from[2]

Errado: *This book is from the Mexican writer Carlos Fuentes.* / Este livro é do escritor mexicano Carlos Fuentes.
Correto: *This book is by the Mexican writer, Carlos Fuentes.*
Observe: quando nos referimos à autoria de um livro, peça, quadro etc., geralmente usamos a preposição *by*. Exemplos: *Who is the play*

written by? / Por quem a peça foi escrita?; *This painting was painted by Picasso.* / Este quadro foi pintado por Picasso.

fruit

ERRADO: *We have fruits for dessert.* / Nós temos frutas para a sobremesa.

CORRETO: *We have fruit for dessert.*

OBSERVE: em inglês, a palavra *fruit* é um substantivo incontável, portanto, não deve ser pluralizada. Exemplo: *We have lots of lovely fruit here.* / Nós temos muitas frutas ótimas aqui. Porém, quando designamos espécies de frutas em textos científicos podemos usar a palavra *fruits*. Exemplo: *The fruits of the Mediterranean.* / As frutas do Mediterrâneo.

funny

ERRADO: *The party will be funny.* / A festa será divertida.

CORRETO: *The party will be fun.*

OBSERVE: o adjetivo *funny* significa "engraçado, que faz rir", em inglês. Exemplo: *He told us a funny joke.* / Ele nos contou uma piada engraçada. Quando nos referimos a algo "divertido" ou "legal", geralmente usamos *fun*. Exemplo: *Horseback riding is a lot of fun.* / Andar a cavalo é muito divertido.

future

ERRADO: *In future I plan on moving to a larger apartment.* / No futuro pretendo mudar para um apartamento maior.

CORRETO: *In the future I plan on moving to a larger apartment.*

OBSERVE: quando nos referimos a um "tempo futuro", geralmente usamos *in the future*. Exemplo: *In the future we will have flying cars.* No futuro nós teremos carros voadores. Quando queremos dizer "a partir de agora", geralmente usamos *in future*. Exemplo: *In future you will have to ask before you leave the office early.* / A partir de agora você terá de pedir para sair do serviço mais cedo.

German

ERRADO: *He's from German.* / Ele é da Alemanha.
CORRETO: *He's from Germany.*
OBSERVE: o país é *Germany* e o adjetivo pátrio é *German*.

give me...

ERRADO: *Give me a piece of cake.* / Você me traz um pedaço de bolo?
CORRETO: *Can I have a piece of cake, please?; I'll have a piece of cake, please; I'd love a piece of cake; Could you get me a piece of cake, please?*
OBSERVE: pedidos ou solicitações feitos na forma imperativa podem ser considerados agressivos e mal-educados, em inglês. Veja mais um exemplo: *Can I have a glass of water, please?* / Você me arranja um copo d'água, por favor?

go out

ERRADO: *He went out of the company to work for himself.* / Ele saiu da empresa para trabalhar por conta própria.
CORRETO: *He left the company to work for himself.*
OBSERVE: o verbo *go out* geralmente é usado para expressar a ideia

good night

de "sair para se divertir". Exemplo: *Did you go out last night?* / Você saiu ontem à noite? Para outros casos usamos o padrão *leave a company/office/home* etc. Veja mais exemplos: *She left the office earlier today.* / Ela saiu do escritório mais cedo hoje; *I'm leaving the house now.* / Estou saindo de casa agora.

good night

ERRADO: *Good night, everyone! I think we can start the meeting.* / Boa noite a todos! Creio que podemos começar a reunião.

CORRETO: *Good evening, everyone! I think we can start the meeting.*

OBSERVE: geralmente se usa *good night* para se despedir de alguém à noite ou para desejar uma boa noite de sono. Ao cumprimentar alguém à noite, usamos *good evening*.

graduate degree

ERRADO: *I have a graduate degree.* / Eu tenho um diploma de graduação.

CORRETO: *I have an undergraduate degree.*

OBSERVE: *graduate degree* significa "diploma de pós-graduação (mestrado e doutorado)" e nos referimos a um aluno de pós-graduação como *graduate student*, em inglês. Quando nos referimos ao "diploma de graduação", usamos *undergraduate degree*, assim como "um aluno de graduação" é *undergraduate student*.

graduation

ERRADO: *I have a graduation in history.* / Eu tenho graduação em história.

CORRETO: *I have a degree in history; I have an undergraduate degree in history.*

OBSERVE: a palavra *graduation* significa "cerimônia de formatura" (*graduation ceremony*). Quando nos referimos ao diploma de graduação, usamos *degree* ou *undergraduate degree*.

h

had

Errado: *Had a car in front of the building.* / Tinha um carro na frente do prédio.

Correto: *There was a car in front of the building.*

Observe: o padrão que usamos para expressar existência é sempre *there to be*, diferentemente do português, no qual podemos usar tanto o verbo "haver" quanto o verbo "ter" com significados semelhantes. Veja mais exemplos: *There's someone on the phone for you.* / Tem alguém no telefone para você; *There are plenty of reasons why you shouldn't marry her.* / Há muitas razões para que você não se case com ela.

had better

Errado: *You'd better to study for the exam.* / É melhor você estudar para a prova.

Correto: *You'd better study for the exam.*

Observe: o padrão é *someone had better do something*. Exemplos: *We'd better leave for the airport now.* / É melhor irmos para o aeroporto agora; *I'd better go now.* / É melhor eu ir agora.

hair

Errado: *Look at all the white hair I have!* / Olha só quanto cabelo branco eu tenho!

happen

Correto: *Look at all the gray hair I have!*

Observe: embora os "cabelos brancos" sejam realmente brancos, em inglês eles são chamados *gray hair* (Amer) ou *grey hair* (Brit).

happen[1]

Errado: *Happened a terrible thing.* / Aconteceu uma coisa terrível.

Correto: *Something terrible happened.*

Observe: o padrão é *something happens*. Exemplos: *When did it happen?* / Quando isso aconteceu?; *Accidents happen when you're careless.* / Acidentes acontecem quando você é descuidado.

happen[2]

Errado: *This always happens with me.* / Isso sempre acontece comigo.

Correto: *This always happens to me.*

Observe: o padrão típico, nesse caso, é *happen to someone / something*. Exemplo: *What happened to your car?* / O que aconteceu com o seu carro?

happy

Errado: *He stayed very happy.* / Ele ficou muito feliz.

Correto: *He was very happy.*

Observe: o padrão correto, nesse caso, é *be happy/angry* etc. O verbo "ficar", em português, tem muitos significados diferentes, dependendo do contexto, e raramente pode ser traduzido por *stay*, em inglês. Veja outros exemplos: *She was angry when she saw me.* / Ela ficou brava quando me viu; *We were pleased to see them again.* / Nós ficamos contentes de encontrá-los novamente.

hate

Errado: *I'm hating my math class.* / Eu estou odiando as minhas aulas de matemática.

Correto: *I hate my math class.*

OBSERVE: verbos de estado ou mentais (*like, hate, want* etc.) não são geralmente usados no gerúndio em inglês. Veja mais exemplos: *I like the book so far.* / Estou gostando do livro até agora; *I want to talk to you.* / Eu estou querendo falar com você.

have

ERRADO: *I have 23 years.* / Eu tenho 23 anos de idade.

CORRETO: *I'm 23 years old; I'm 23.*

OBSERVE: para expressar idade, sempre usamos o verbo *be*. Veja mais exemplos: *Alice is sixteen years old.* / Alice tem dezesseis anos de idade; *I moved to the city when I was 30.* / Eu me mudei para a cidade quando tinha 30 anos; *Michael will be forty in December.* / Michael vai fazer quarenta anos em dezembro.

headache

ERRADO: *I am with a headache.* / Eu estou com dor de cabeça.

CORRETO: *I have a headache; I've got a headache.*

OBSERVE: muitas vezes, sentenças com "estar" são expressas com o verbo *have* ou *be*. Exemplos: *I have a cold.* / Estou com resfriado. *I am cold.* / Eu estou com frio.

hear

ERRADO: *I'm hearing music on the radio.* / Estou ouvindo música no rádio.

CORRETO: *I'm listening to music on the radio.*

OBSERVE: quando nos referimos ao ato de "escutar intencionalmente" (música, história, piada etc.), geralmente usamos o verbo *listen (to)*. Exemplos: *I'm listening to Mozart;* Eu estou ouvindo Mozart. *Listen to me when I speak to you!* / Ouça-me quando eu falo com você! Quando nos referimos ao ato de "ouvir, mesmo sem intenção ou propósito", usamos o verbo *hear*. Exemplos: *Did you hear that noise?* / Você ouviu esse barulho?; *We heard thunder so we went into the shop.* / Nós ouvimos barulho de trovão, então entramos na loja.

her

ERRADO: *I met Peter and her wife.* / Eu conheci Peter e a sua esposa.

CORRETO: *I met Peter and his wife.*

OBSERVE: o adjetivo possessivo (*my, your, his, her* etc.) é determinado pelo possuidor e não pelo substantivo a que se refere. Nesse caso, "a esposa" "pertence" a "Peter", então é *his wife*. Veja mais exemplos: *Susan left her money at home.* / Susan deixou seu dinheiro em casa; *He has his reasons.* / Ele tem suas razões.

high¹

ERRADO: *He's very high for his age.* / Ele é muito alto para a sua idade.

CORRETO: *He's very tall for his age.*

OBSERVE: quando nos referimos à altura de alguém, geralmente usamos a palavra *tall*, em inglês. Exemplo: *How tall are you?* / Qual é a sua altura?

high²

ERRADO: *The music is too high.* / A música está muito alta.

CORRETO: *The music is too loud.*

OBSERVE: quando nos referimos a "música alta", geralmente dizemos *loud music*. Exemplo: *The music is too loud to talk.* / A música está muito alta para conversarmos.

history

ERRADO: *He told us a long history.* / Ele nos contou uma longa história.

CORRETO: *He told us a long story.*

OBSERVE: a palavra *history* significa "história" ou "estudo de história". Exemplo: *She is studying Greek history.* / Ela está estudando a história da Grécia. Quando nos referimos a um "conto" ou "história popular", dizemos *story*, em inglês. Exemplo: *That's a pretty funny story, Frank.* / Essa história é muito engraçada, Frank.

hit

ERRADO: *He hit the car.* / Ele bateu o carro.
CORRETO: *He crashed the car; He had an accident with the car.*
OBSERVE: o padrão é *crash a car* ou *hit something/someone with a car*. Exemplos: *He hit a tree with his car.* / Ele bateu numa árvore com o carro; *Greg crashed his car into a wall.* / O Greg bateu o carro num muro.

holiday

ERRADO: *Are you still in holiday?* / Você ainda está em férias?
CORRETO: *Are you still on holiday?*
OBSERVE: o padrão típico, nesse caso, é *be on holiday/vacation* ou ainda *go on holiday/vacation*, em inglês. Exemplo: *When did you go on vacation?* / Quando você saiu de férias?

home

ERRADO: *We went to home after the game.* / Nós fomos para casa depois do jogo.
CORRETO: *We went home after the game.*
OBSERVE: o padrão, nesse caso, é sempre *go home*, sem a preposição *to*. Veja mais um exemplo: *Do you go home after school?* / Você vai para casa depois da aula?

homework[1]

ERRADO: *Did you make your homework?* / Você fez a lição de casa?
CORRETO: *Did you do your homework?*
OBSERVE: o padrão, nesse caso, é sempre *do (one's) homework*.

homework[2]

ERRADO: *I have a homework to finish.* / Eu tenho uma lição de casa para terminar.
CORRETO: *I have homework to finish.*
OBSERVE: a palavra *homework* não é contável e, portanto, não aceita o artigo *a* nem pode ser pluralizada.

hope

Errado: *He has hope to see her tonight.* / Ele tem esperança de vê-la hoje à noite.

Correto: *He hopes to see her tonight.*

Observe: o padrão, nesse caso, é sempre *hope to do something* ou *hope someone does something*. Exemplos: *I hope to finish the report before lunch.* / Eu espero terminar o relatório antes do almoço; *I hope you come to the party.* / Eu espero que você venha à festa.

hours

Errado: *It's a two hours drive.* / É uma viagem de carro de duas horas.

Correto: *It's a two-hour drive.*

Observe: trata-se de um padrão de formação de adjetivos por meio de duas ou mais palavras separadas por um hífen e no singular, em inglês. Veja outros exemplos: *It's a four-door car.* / É um carro de quatro portas; *It's an all-you-can-eat sort of restaurant.* / É um restaurante do tipo em que se pode comer de tudo por um preço fixo; *It's a two-story house.* / É uma casa de dois andares.

i

I

Errado: *"Who wants to read the next paragraph?" "I"* / "Quem quer ler o próximo parágrafo?" "Eu".

Correto: *"Who wants to read the next paragraph?" "Me!"; "Who wants to read the next paragraph?" "I do!"*

Observe: em respostas curtas com apenas o pronome, como nesse caso, usamos o pronome oblíquo *me, him, them* etc., caso contrário, o pronome tem de acompanhar um verbo auxiliar (*I do, he does* etc.). Veja mais exemplos: *"I love chocolate ice-cream." "Me too."* / "Eu adoro sorvete de chocolate." "Eu também."; *"Who did this?" "Me."* / "Quem fez isto?" "Eu."; *"Who did this?" "I did."* / "Quem fez isto?" "Fui eu."; *"Who did you give the book to?" "Him"* / "Para quem você deu o livro?" "Para ele."

idea

Errado: *She changed her idea.* / Ela mudou de ideia.

Correto: *She changed her mind.*

Observe: o padrão correto, nesse caso, é *change one's mind. If you change your mind, please let me know.* / Se você mudar de ideia, por favor, me avise.

idiom

ERRADO: *How many idioms do you speak?* / Quantos idiomas você fala?

CORRETO: *How many languages do you speak?*

OBSERVE: a palavra *idiom* significa "idiomatismo" ou "expressão idiomática". Quando nos referimos a um "idioma" ou "língua", usamos *language*.

in

ERRADO: *I saw Bruna in the bus last Saturday.* / Eu vi Bruna no ônibus sábado passado.

CORRETO: *I saw Bruna on the bus last Saturday.*

OBSERVE: quando nos referimos a meios de transporte coletivo, geralmente usamos a preposição *on*. Exemplos: *We were on the train to Paris when we first met.* / Nós estávamos no trem para Paris quando nos vimos pela primeira vez; *He had already got on the plane when she called him.* / Ele já havia entrado no avião quando ela ligou para ele.

indicate

ERRADO: *Can you indicate a good restaurant?* / Você pode indicar um bom restaurante?

CORRETO: *Can you recommend a good restaurant?; Can you suggest a good restaurant?*

OBSERVE: o verbo *indicate* significa "sinalizar ou indicar" ou "dar seta" (Brit). Exemplos: *Latest figures indicate that American households have more than three TVs.* / Estatísticas recentes indicam que os lares americanos possuem mais de três aparelhos de TV; *He turned without indicating.* / Ele fez a curva sem dar seta. Quando nos referimos a uma "indicação" ou "sugestão", geralmente usamos *recommend* ou *suggest*. Veja alguns exemplos: *I recommend the fish. It's excellent.* / Eu sugiro o peixe. Está excelente; *Peter was recommended for the job.* / Peter foi indicado para o emprego.

information

Errado: *I gave the customer some informations about the product.* / Eu dei ao cliente algumas informações sobre o produto.

Correto: *I gave the customer some information about the product; I gave the customer information about the product.*

Observe: a palavra *information* é um substantivo incontável e, portanto, não deve ser pluralizada.

inscription

Errado: *I did an inscription in the English course.* / Eu fiz inscrição no curso de inglês.

Correto: *I enrolled in the English course.*

Observe: a palavra *inscription* significa "inscrição em pedra, parede ou monumento". Exemplo: *I couldn't read the inscription on the gravestone.* / Eu não consegui ler a inscrição no túmulo. Quando nos referimos a uma "inscrição" ou "matrícula" em um curso, geralmente usamos o padrão *enroll in a class / course*. Exemplo: *Are you enrolled in the yoga class?* / Você está matriculado na aula de ioga?

interior

Errado: *She lives in the interior of São Paulo.* / Ela mora no interior de São Paulo.

Correto: *She lives in the countryside of São Paulo; She lives in rural São Paulo; She lives in the country.*

Observe: a palavra *interior* tem muitos significados, como "interior" ou "parte de dentro de algo"; porém, quando nos referimos ao "campo" ou "área rural", geralmente usamos *country*. Veja alguns exemplos: *Tom grew up in rural Texas.* / Tom cresceu no interior do Texas; *We have a cottage in the countryside just outside New York.* / Nós temos uma casa de campo no interior perto de Nova York.

invest

Errado: *I'd like to do an investment in real estate.* / Eu gostaria de fazer um investimento em imóveis.

CORRETO: *I'd like to make an investment in real estate; I'd like to invest in real estate.*

OBSERVE: o padrão típico, nesse caso, é *make an investment* ou *invest in something*.

investigation

ERRADO: *The police are doing an investigation of the murder.* / A polícia está fazendo uma investigação sobre o homicídio.

CORRETO: *The police are conducting an investigation of the murder; The police are carrying out an investigation of the murder.*

OBSERVE: o padrão típico, nesse caso, é *conduct an investigation* ou *carry out an investigation*.

jar

Errado: *We ordered a jar of orange juice.* / Nós pedimos uma jarra de suco de laranja.

Correto: *We ordered a jug of orange juice; We ordered a pitcher of orange juice.*

Observe: a palavra *jar* significa "pote de vidro". Exemplo: *I bought a jar of jam.* / Eu comprei um pote de geleia. Quando nos referimos ao "recipiente para líquidos", geralmente usamos *jug* ou *pitcher*.

job

Errado: *I want to change my job.* / Eu quero trocar de emprego.

Correto: *I want to change jobs.*

Observe: quando nos referimos ao "ato de sair de um emprego e entrar em outro", geralmente usamos o padrão fixo *change jobs*. Veja mais um exemplo: *Are you serious about changing jobs?* / Você está falando sério que quer trocar de emprego?

journal

Errado: *Did you see the journal last night?* / Você assistiu ao jornal ontem à noite?

Correto: *Did you see the news last night?*

journal

OBSERVE: a palavra *journal* significa "revista" ou "periódico acadêmico ou profissional". Exemplo: *I subscribe to The New England Journal of Medicine.* / Eu assino o periódico *The New England Journal of Medicine.* Também usamos a palavra *journal* para nos referirmos a um "diário". Exemplo: *She kept a journal during her stay in Tibete.* / Ela manteve um diário durante sua estadia no Tibete. Quando nos referimos ao "noticiário na TV", dizemos *the news* (sempre com o artigo *the*). Já o "jornal impresso" é *the newspaper* ou apenas *the paper.* Exemplo: *Have you read the paper today?* / Você leu o jornal hoje?

kind

Errado: *She wasn't very kind with me.* / Ela não foi muito gentil comigo.
Correto: *She wasn't very kind to me.*
Observe: o padrão típico, nesse caso, é *be kind / nice / rude* etc. *to someone*. Exemplo: *Don't be rude to the waiter.* / Não seja mal-educado com o garçom.

know

Errado: *Did you know a lot of people on your trip?* / Você conheceu muita gente na sua viagem?
Correto: *Did you meet a lot of people on your trip?*
Observe: podemos usar o verbo *know* quando queremos dizer que já conhecemos alguém e temos contato com a pessoa. Veja alguns exemplos: *I've known John since high school.* / Eu conheço John desde o colegial; *Do you know her?* / Você a conhece? O verbo "conhecer", no sentido de "conhecer alguém novo" ou "fazer amizade", é *meet*. Exemplo: *Where did you meet your wife?* / Onde você conheceu a sua esposa?

1

lamp

Errado: *We'll have to change the lamp.* / Nós vamos ter que trocar a lâmpada.

Correto: *We'll have to change the light bulb.*

Observe: a palavra *lamp* significa "abajur" ou "luminária de leitura", em inglês. Exemplo: *Turn on the lamp on the table.* / Acenda a luminária na mesa. Quando nos referimos a uma "lâmpada", usamos *light bulb* ou apenas *bulb*.

last

Errado: *I started to work here in the last year.* / Eu comecei a trabalhar aqui no ano passado.

Correto: *I started to work here last year.*

Observe: geralmente não usamos preposição antes do padrão *last year/month/week* etc. Exemplos: *I bought a new pair of shoes last month.* / Eu comprei um novo par de sapatos no mês passado; *Joseph was here last week.* / Joseph esteve aqui na semana passada.

learn

Errado: *I'm learning with my mistakes.* / Eu estou aprendendo com os meus erros.

Correto: *I'm learning from my mistakes.*
Observe: o padrão típico, nesse caso, é *learn (something) from one's mistakes*. Exemplo: *Karen learned a lot from her mistakes.* / Karen aprendeu muito com seus erros.

legend

Errado: *The film has legends.* / O filme tem legendas.
Correto: *The film has subtitles.*
Observe: a palavra *legend* significa "lenda". Exemplo: *It's a Greek legend.* / É uma lenda grega. Quando nos referimos à "legenda de um filme", usamos *subtitles*, em inglês. Já quando nos referimos a uma "legenda de livro", que descreve fotografias, por exemplo, dizemos *caption*.

library

Errado: *I bought the book at a library.* / Eu comprei o livro numa livraria.
Correto: *I bought the book at a bookstore* (Amer); *I bought the book at a bookshop* (Brit).
Observe: a palavra *library* significa "biblioteca". Quando nos referimos a uma "livraria", dizemos *bookstore* (Amer) ou *bookshop* (Brit).

life

Errado: *The life is hard.* / A vida é difícil.
Correto: *Life is hard.*
Observe: geralmente não usamos o artigo *the* com a palavra *life*, a não ser quando acompanhada de um outro substantivo. Exemplo: *The life of a student is easy.* / A vida de estudante é fácil.

like[1]

Errado: *I like more American movies.* / Eu gosto mais de filmes americanos.

Correto: *I prefer American movies.*
Observe: quando expressamos uma preferência, geralmente usamos o verbo *prefer*. Exemplo: *I prefer to live in big cities than in small towns.* / Eu prefiro morar em cidades grandes a viver em cidades pequenas.

like[2]

Errado: *I'm liking this party. It's so lively!* / Eu estou gostando desta festa. Está muito animada!
Correto: *I'm enjoying this party. It's so lively!; I really like this party. It's so lively!*
Observe: verbos de estado ou mentais (*like*, *hate*, *want* etc.) geralmente não são usados no gerúndio. Veja mais exemplos: *I like the book so far.* / Estou gostando do livro até agora; *I hate math class this year.* / Eu estou odiando a aula de matemática este ano.

liquor

Errado: *We had a liquor after dinner.* / Nós tomamos um licor depois do jantar.
Correto: *We had a liqueur after dinner.*
Observe: a palavra *liquor* significa "bebida destilada" ou "bebida forte" em geral. Quando nos referimos a um "licor" (bebida alcoólica, geralmente doce, tomada como aperitivo), usamos a palavra *liqueur*.

listen[1]

Errado: *Can you listen to the birds?* / Você consegue ouvir os pássaros?
Correto: *Can you hear the birds?*
Observe: o verbo *listen* é geralmente usado quando nos referimos ao "ato intencional de ouvir". Exemplo: *I always listen to the weather forecast on the radio.* / Eu sempre ouço a previsão do tempo no rádio. Quando nos referimos ao ato de "ouvir, mesmo sem intenção

ou propósito", usamos o verbo *hear*. Exemplos: *Did you hear that noise?* / Você ouviu esse barulho?; *We heard people talking next door.* / Nós ouvimos gente conversando na casa ao lado.

listen²

ERRADO: *I always listen music in the car.* / Eu sempre ouço música no carro.

CORRETO: *I always listen to music in the car.*

OBSERVE: o padrão de uso é sempre *listen to someone / something*. Veja mais exemplos: *Listen to me!* / Me ouça!; *He doesn't listen to anyone!* / Ele não ouve ninguém!; *Did you listen to that CD I lent you?* / Você ouviu aquele CD que eu lhe emprestei?

lose¹

ERRADO: *Hurry up or you'll lose the bus!* / Anda logo ou você vai perder o ônibus!

CORRETO: *Hurry up or you'll miss the bus!*

OBSERVE: o padrão, nesse caso, é sempre *miss the bus/train/plane* etc. O verbo *lose* significa "perder algo ao deixá-lo em lugar errado ou desconhecido". Exemplo: *I think I've lost my wallet.* / Eu acho que perdi a minha carteira.

lose²

ERRADO: *You're losing your time talking to him.* / Você está perdendo seu tempo falando com ele.

CORRETO: *You're wasting your time talking to him.*

OBSERVE: o verbo *lose* significa "perder algo ao deixá-lo em lugar errado ou desconhecido". Exemplo: *I've lost my glasses.* / Eu perdi os meus óculos. Quando nos referimos ao ato de "perder tempo" ou "desperdiçar tempo", dizemos *waste time*. Exemplo: *I think I'm just wasting my time waiting for his phone call.* / Eu acho que só estou perdendo tempo esperando por uma ligação dele.

luck¹

ERRADO: *I'm with luck today.* / Eu estou com sorte hoje.
CORRETO: *I'm lucky today.*
OBSERVE: o padrão, nesse caso, é sempre *be lucky* ou *be in luck*. Veja mais exemplos: *You're lucky to be alive.* / Você tem sorte de estar vivo; *"Have you got this shirt in blue?" "You're in luck. There's one left in stock."* / "Você tem esta camiseta na cor azul?" "Você está com sorte. Tem uma no estoque."

luck²

ERRADO: *She really has luck to be chosen for the team.* / Ela realmente tem sorte por ter sido selecionada para o time.
CORRETO: *She is really lucky to be chosen for the team.*
OBSERVE: a expressão "ter sorte" é *be lucky* ou *be in luck*. Veja alguns exemplos: *She's lucky to have such a nice family.* / Ela tem sorte de ter uma família tão legal; *"Is Dave in?" "You're in luck. He just arrived."* / "Dave está?" "Você está com sorte. Ele acabou de chegar."

luggage

ERRADO: *Let me help you with your luggages.* / Deixe-me ajudá-lo com as suas bagagens.
CORRETO: *Let me help you with your luggage.*
OBSERVE: a palavra *luggage* é um substantivo incontável e, portanto, não pode ser pluralizada.

lunch¹

ERRADO: *I'm not very hungry. I'll just have a lunch.* / Eu não estou com muita fome. Eu só vou comer um lanche.
CORRETO: *I'm not very hungry. I'll just have a snack.*
OBSERVE: a palavra *lunch* significa "almoço". Exemplo: *Have you had lunch?* / Você já almoçou? Quando nos referimos a um "lanche", qualquer "comida leve" ou "algo para beliscar", usamos a palavra *snack*. Exemplo: *You should stop eating*

snacks between meals. / Você deveria parar de comer salgadinhos entre as refeições.

lunch²

ERRADO: *Let's lunch before we go out.* / Vamos lanchar antes de sair.

CORRETO: *Let's have a snack before we go out; Let's have a bite before we go out.*

OBSERVE: a palavra *lunch* significa "almoço" e não é usada como verbo. Exemplo: *What's for lunch?* / O que tem para o almoço? Quando nos referimos ao ato de "comer um lanche" ou "comer uma refeição rápida", geralmente usamos a expressão *have a snack* ou a versão mais coloquial *have a bite*. Exemplos: *We had a snack at the mall.* / Nós comemos um lanche no shopping; *Let's have a bite before the movie.* / Vamos comer um lanche antes do filme.

m

macaroni

Errado: *We had macaroni and tomato sauce.* / Nós comemos macarrão com molho de tomate.

Correto: *We had pasta and tomato sauce.*

Observe: a palavra "macarrão" virou termo geral para qualquer tipo de massa, em português. Em inglês, porém, preservou-se o significado original de *macaroni* do italiano, que se refere a um tipo específico de macarrão, o "cotovelo". A palavra usada para falar de "massas em geral" ("macarrão", em português) é *pasta*, em inglês. Exemplo: *We always have pasta on Sundays.* / Nós sempre comemos macarrão aos domingos.

majority

Errado: *The majority of voters is against the new law.* / A maioria dos eleitores é contra a nova lei.

Correto: *The majority of voters are against the new law.*

Observe: quando a palavra *majority* vem acompanhada de um substantivo no plural (*majority of voters, teachers, people* etc.) conjugamos o verbo no plural. Exemplo: *The majority of teachers work overtime.* / A maioria dos professores faz hora extra. Quando a palavra *majority* não é acompanhada de um substantivo, podemos conjugar o verbo no plural ou singular. Exemplo: *The majority work overtime.* / A maioria faz hora extra; *The majority works overtime.* / A maioria faz hora extra.

make

ERRADO: *She made sixteen years old on Friday.* / Ela fez dezesseis anos de idade na sexta-feira.
CORRETO: *She turned sixteen years old on Friday; She turned sixteen on Friday.*
OBSERVE: para expressar a ideia de "fazer anos de idade", geralmente usamos o verbo *turn*. Exemplos: *She is turning 12 on August 1st.* / Ela vai fazer 12 anos no dia 1.º de agosto; *I turned 40 last month.* / Eu fiz 40 anos no mês passado.

man¹

ERRADO: *The man is destroying the environment.* / O homem está destruindo o meio ambiente.
CORRETO: *Man is destroying the environment.*
OBSERVE: a palavra *man*, quando usada para se referir a "humanidade em geral" não é precedida do artigo *the*. Exemplo: *Man will go to Mars before the end of the century.* / O homem irá para Marte antes do final do século.

man²

ERRADO: *The mans in the picture are wearing jeans.* / Os homens na figura estão usando jeans.
CORRETO: *The men in the picture are wearing jeans.*
OBSERVE: o plural de *man* é *men* (plural irregular).

manifestation

ERRADO: *I've never participated in a manifestation.* / Eu nunca participei de uma manifestação.
CORRETO: *I've never participated in a demonstration.*
OBSERVE: a palavra *manifestation* significa "manifestação" ou

"concretização" e refere-se ao ato de "tornar visível ou aparente". Exemplo: *The skin rash is a manifestation of the disease.* / A erupção da pele é uma manifestação da doença. Quando nos referimos a uma "manifestação de protesto", usamos a palavra *demonstration*, em inglês. Exemplo: *The media was there to cover the demonstration.* / A mídia estava lá para cobrir o protesto.

mark

ERRADO: *What mark of coffee do you prefer?* / Qual marca de café você prefere?
CORRETO: *What brand of coffee do you prefer?*
OBSERVE: quando nos referimos à "marca de um produto", geralmente dizemos a palavra *brand*. Exemplo: *The best brands of chocolate are European.* / As melhores marcas de chocolate são europeias.

market

ERRADO: *It's the best wine in the market.* / É o melhor vinho no mercado.
CORRETO: *It's the best wine on the market.*
OBSERVE: quando nos referimos à "disponibilidade de produtos para compra em lojas, mercados etc.", geralmente usamos a expressão *on the market*. Exemplo: *There are a lot of new houses on the market.* / Há muitas casas novas no mercado.

marriage

ERRADO: *I didn't go to her marriage.* / Eu não fui ao casamento dela.
CORRETO: *I didn't go to her wedding.*
OBSERVE: a palavra *marriage* refere-se ao casamento como "instituição" ou "união entre duas pessoas". Exemplos: *Marriage is highly overrated!* / Dá-se muita importância ao casamento!; *They have a good marriage.* / O casamento deles vai bem. Quando nos referimos à "cerimônia de casamento", usamos *wedding*

ou *marriage ceremony*. Exemplo: *The wedding was on Saturday.* / O casamento foi no sábado; *The marriage ceremony was beautiful.* A cerimônia de casamento foi linda. Já "festa de casamento" é *wedding party*. Exemplo: *Are you going to the wedding party?* / Você vai à festa de casamento?

marry

ERRADO: *Robert married with Susan in 1975.* / Robert casou-se com a Susan em 1975.

CORRETO: *Robert married Susan in 1975; Robert and Susan got married in 1975; Robert got married to Susan in 1975.*

OBSERVE: os padrões, nesse caso, são *marry someone*, sem a preposição *with* ou *get married to someone*.

mature

ERRADO: *The mango isn't mature yet.* / A manga não está madura ainda.

CORRETO: *The mango isn't ripe yet.*

OBSERVE: o adjetivo *mature* é geralmente usado para descrever pessoas e significa "desenvolvido, formado, adulto, maduro". Exemplo: *She's very mature for her age.* / Ela é bem madura para a idade dela. Quando nos referimos a frutas, usamos o adjetivo *ripe*. Exemplo: *The bananas weren't ripe so we didn't buy them.* / As bananas não estavam maduras, então não compramos.

meet

ERRADO: *I meet with her every week at yoga class.* / Eu encontro com ela toda semana na aula de yoga.

CORRETO: *I meet her every week at yoga class.*

OBSERVE: o padrão típico nesse caso, é *meet someone*, sem a preposição *with*. Exemplo: *Let's meet after work for a coffee.* / Vamos nos encontrar depois do trabalho para um café. O padrão *meet with someone* é geralmente usado quando nos referimos a uma "reunião planejada". Exemplo: *Let's meet with their product manager to discuss the details.* / Vamos nos encontrar com o gerente de produção deles para discutir os detalhes.

million[1]

ERRADO: *About half million people attended the event.* / Por volta de meio milhão de pessoas assistiram ao evento.

CORRETO: *About half a million people attended the event.*

OBSERVE: o padrão, nesse caso, é sempre *half a million*, com o artigo *a*.

million[2]

ERRADO: *The building cost two millions of dollars.* / O prédio custou dois milhões de dólares.

CORRETO: *The building cost two million dollars.*

OBSERVE: o padrão, nesse caso, é *two/three/four million dollars*. A palavra *million*, quando numeral, é invariável, ou seja, não precisa ser pluralizada, nem ser seguida da preposição *of*, em inglês. Exemplos: *A million people showed up for the Rolling Stones show.* / Um milhão de pessoas compareceram ao show dos Rolling Stones; *They spent 100 million on the Olympic Games.* / Eles gastaram 100 milhões nos Jogos Olímpicos.

minute

ERRADO: *It's a ten minutes walk to school.* / É uma caminhada de dez minutos até a escola.

CORRETO: *It's a ten-minute walk to school.*

OBSERVE: trata-se de um padrão de formação de adjetivos por meio de duas ou mais palavras geralmente separadas por um hífen e no singular. Exemplos: *It's a forty-minute bus ride to the airport.* / É uma viagem de quarenta minutos de ônibus até o aeroporto; *You can expect a thirty-minute wait at the bank.* / Você pode contar com uma espera de trinta minutos no banco.

mistake
ERRADO: *I did a lot of mistakes on the English test.* / Eu cometi muitos erros na prova de inglês.
CORRETO: *I made a lot of mistakes on the English test.*
OBSERVE: o padrão de uso, nesse caso, é *make a mistake*.

moment
ERRADO: *In that moment, I was sure I was going to fall.* / Naquele momento, eu tinha certeza de que ia cair.
CORRETO: *At that moment, I was sure I was going to fall.*
OBSERVE: o padrão, nesse caso, é sempre *at that moment*.

Monday
ERRADO: *I'll call you on monday.* / Eu te ligo na segunda-feira.
CORRETO: *I'll call you on Monday.*
OBSERVE: os dias da semana sempre se escrevem com letra maiúscula, em inglês. Exemplo: *I go to the gym on Tuesdays and Thursdays.* / Eu vou à academia às terças e quintas-feiras.

more
ERRADO: *I had to go back there more four times.* / Eu tive de voltar lá mais quatro vezes.
CORRETO: *I had to go back there another four times; I had to go back there four more times.*
OBSERVE: o padrão, nesse caso, é *another three/four/five etc. times* ou *three/four/five etc. more times*. Veja mais exemplos com a palavra *more*: *We have ten more days to finish the report.* / Nós temos mais dez dias para terminar o relatório; *In another two weeks I'll be on holiday!* / Daqui a mais duas semanas eu estarei em férias!; *I can't believe it's only two more weeks till Christmas.* / Eu não acredito que daqui a mais duas semanas será o Natal.

most
ERRADO: *The most part of the time he sits in front of his computer.* / A maior parte do tempo ele fica na frente do computador.

mouse

Correto: *Most of the time he sits in front of his computer.*
Observe: a expressão equivalente a "a maior parte do tempos/das pessoas etc." é *most of the time/the people* etc. Exemplos: *Most of the people here are from out of town.* / A maior parte das pessoas aqui é de outra cidade; *The boss is in a bad mood most of the time.* / O chefe está de mau humor a maior parte do tempo.

mouse
Errado: *The house was full of mouses.* / A casa estava cheia de ratos.
Correto: *The house was full of mice.*
Observe: o plural de *mouse* é *mice* (plural irregular).

move
Errado: *We're going to move house.* / Nós vamos mudar de casa.
Correto: *We're going to move to a new house.*
Observe: o padrão, nesse caso, é sempre *move to a new house/city* etc. Exemplo: *Dave and Sally moved to a new apartment.* / Dave e Sally se mudaram para um novo apartamento.

movie
Errado: *I love terror movies.* / Eu adoro filmes de terror.
Correto: *I love horror movies.*
Observe: filme de terror é *horror film* ou *horror movie*.

Mr.
Errado: *Have you met Mr. Mike?* / Você já conheceu o Sr. Mike?
Correto: *Have you met Mr. Mike Smith?; Have you met Mr. Smith?*
Observe: os pronomes de tratamento, como *Mr.* (*mister*), *Mrs.* (*misses*), *Ms.* ou *Miss.* são sempre usados com o nome de família e não com o primeiro nome. Exemplos: *I met Mrs. Brown this morning.* / Eu conheci a Sra. Brown hoje cedo; *Do you ever watch the Mr. Bean show?* / Você assiste ao programa do Mr. Bean?

music

Errado: *I don't like three musics on the CD.* / Eu não gosto de três músicas nesse CD.

Correto: *I don't like three songs on the CD; I don't like three tracks on the CD; I don't like three cuts on the CD.*

Observe: quando nos referimos a uma "canção", usamos a palavra *song*. Já para nos referirmos a uma "faixa de um CD", usamos a palavra *track* ou *cut*. Exemplos: *Track three is my favorite.* / A faixa três é a minha favorita; *Listen to this cut.* / Escute esta música. Quando nos referimos à "música em geral" ou a um "gênero musical", usamos a palavra *music*. Exemplos: *What kind of music do you like?* / De que tipo de música você gosta?; *She studies classical music.* / Ela estuda música clássica.

n

name

ERRADO: *I'm from a little town named Monte Sião.* / Eu sou de uma pequena cidade chamada Monte Sião.
CORRETO: *I'm from a little town called Monte Sião.*
OBSERVE: para dizer como alguém ou algo se chama, geralmente usamos o verbo *call*. Exemplos: *What's this thing called?* / Como isto se chama?; *What do you call your dog?* / Como se chama o seu cachorro?

nature

ERRADO: *The nature in the Amazon is beautiful.* / A natureza na Amazônia é linda.
CORRETO: *The wilderness in the Amazon is beautiful.*
OBSERVE: não usamos o artigo *the* antes da palavra *nature*. Quando falamos de "natureza como um lugar selvagem" ou "flora", o termo mais adequado é *wilderness*. Exemplo: *Canada has been able to preserve most of its wilderness.* / O Canadá tem conseguido preservar a maior parte de sua natureza. Já quando falamos de "natureza" com a ideia de "meio ambiente", o termo mais apropriado é *environment*. Exemplo: *Plastic is bad for the environment.* / O plástico prejudica a natureza.

near

ERRADO: *I live near from my work.* / Eu moro perto do meu trabalho.

CORRETO: *I live near my work.*

OBSERVE: o padrão de uso é *near something*, sem a preposição *from*. Exemplo: *The bank is near the bus station.* / O banco fica perto da estação rodoviária.

neither

ERRADO: *I haven't seen Michael or Daniel today. I think neither of them are at school today.* / Eu não vi nem o Michael nem o Daniel hoje. Eu acho que nenhum dos dois está na escola hoje.

CORRETO: *I haven't seen Michael or Daniel today. I think neither of them is at school today.*

OBSERVE: o verbo precedido de *neither* vem sempre no singular. Exemplo: *Neither of them is married.* / Nenhum dos dois é casado.

nervous

ERRADO: *My boss got nervous.* / Meu chefe ficou nervoso.

CORRETO: *My boss got angry; My boss became angry; My boss got irritated; My boss became irritated.*

OBSERVE: o adjetivo *nervous* significa "ansioso" ou "agitado". Exemplo: *Were you nervous during the interview?* / Você ficou ansioso durante a entrevista? Quando queremos dizer que alguém está "nervoso, irritado, bravo etc.", usamos *angry* ou *irritated*.

never

ERRADO: *I never went to Europe.* / Eu nunca fui à Europa.

CORRETO: *I've never been to Europe.*

OBSERVE: nesse caso, usamos o tempo verbal *Present Perfect*. Veja mais exemplos: *I've never tried Thai food.* / Eu nunca experimentei comida tailandesa; *Michael has never liked Ann.* / O Michael nunca gostou de Ann.

news

ERRADO: *I have a bad news for you.* / Eu tenho uma má notícia para você.

CORRETO: *I have bad news for you; I have some bad news for you.*

OBSERVE: a palavra *news* pertence à classe de substantivos incontáveis, portanto, não podemos usar o artigo *a* antes dela. Note ainda que quando nos referimos a "várias notícias" podemos usar *pieces of news* ou *news items* para formar o plural. Veja alguns exemplos: *I just read two pieces of news on the plane crash.* / Acabei de ler duas notícias sobre o acidente de avião; *There are a few interesting news items on the back page.* / Há algumas notícias interessantes no verso.

next

ERRADO: *I'll be here again in the next week.* / Eu estarei aqui novamente na semana que vem.

CORRETO: *I'll be here again next week.*

OBSERVE: geralmente não usamos preposições como *in, at, on* etc. antes do padrão *next week/month/year* etc. Veja mais exemplos: *We're going to take a trip to China next year.* / Nós vamos fazer uma viagem à China no ano que vem; *I'll see you next week.* / Até a semana que vem.

night[1]

ERRADO: *I think I'll stay home this night.* / Eu acho que vou ficar em casa esta noite.

CORRETO: *I think I'll stay home tonight.*

OBSERVE: *tonight* vale tanto para a expressão "esta noite" como para "hoje à noite".

night[2]

ERRADO: *We arrived at 11 o'clock in the night.* / Nós chegamos às 11 horas da noite.

CORRETO: *We arrived at 11 o'clock at night.*

OBSERVE: o padrão, nesse caso, é *at night*.

night³

ERRADO: *We went to the movies yesterday night.* / Nós fomos ao cinema ontem à noite.
CORRETO: *We went to the movies last night.*
OBSERVE: a expressão "ontem à noite" é *last night*.

noise

ERRADO: *The dogs do a lot of noise.* / Os cachorros fazem muito barulho.
CORRETO: *The dogs make a lot of noise.*
OBSERVE: o padrão correto, nesse caso, é *make noise*.

none

ERRADO: *I looked for the books, but I didn't find none.* / Eu procurei os livros, mas não achei nenhum.
CORRETO: *I looked for the books, but I found none; I looked for the books, but I didn't find any.*
OBSERVE: geralmente não usamos dois itens negativos na mesma oração em inglês (*not + none*, *not + never*, por exemplo). Nesses casos, geralmente usamos o verbo na forma afirmativa com *none, nothing, no* etc. ou o verbo na forma negativa com *any, anything* etc. Exemplos: *I know nothing about this.* / Eu não sei nada sobre isto; *I don't know anything about this.* / Eu não sei nada sobre isto; *I would buy none if I were you.* / Eu não compraria nenhum se fosse você; *I wouldn't buy any if I were you.* / Eu não compraria nenhum se fosse você.

nothing

ERRADO: *I don't know nothing about computers.* / Eu não entendo nada de computadores.
CORRETO: *I don't know anything about computers; I know nothing about computers.*
OBSERVE: em inglês, uma oração duplamente negativa é considerada incorreta. Assim as palavras *not (don't)* e *nothing* não podem ocor-

rer na mesma oração. Veja mais exemplos: *We didn't eat anything before we left; We ate nothing before we left.* / Nós não comemos nada antes de sair; *I didn't hear any noise; I heard no noise.* / Eu não ouvi nenhum barulho.

novel

ERRADO: *Did you watch the novel on TV last night?* / Você assistiu à novela na TV ontem à noite?

CORRETO: *Did you watch the soap opera on TV last night?*

OBSERVE: a palavra *novel* significa "romance" (obra literária). Exemplo: *I'd like to write a novel one day.* / Eu gostaria de escrever um romance um dia. Quando nos referimos a uma "novela na TV", usamos *soap opera*.

now

ERRADO: *From now, I'll be working the morning shift.* / A partir de agora, eu vou trabalhar no turno de manhã.

CORRETO: *From now on, I'll be working the morning shift; From now onwards, I'll be working the morning shift.*

OBSERVE: a expressão equivalente a "a partir de agora" é *from now on* ou *from now onwards*.

nowadays

ERRADO: *Computers are much cheaper in nowadays.* / Os computadores estão muito mais baratos hoje em dia.

CORRETO: *Computers are much cheaper nowadays.*

OBSERVE: o padrão correto, nesse caso, é *nowadays*, sem a preposição *in*.

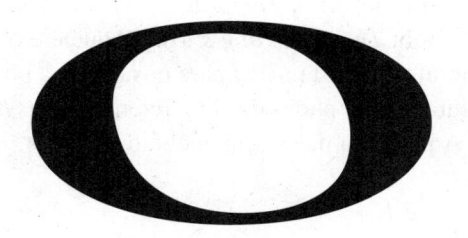

o'clock

Errado: *"What's the time, please?" "It's 3:30 o'clock."* / "Que horas são, por favor?" "São 3:30".

Correto: *"What's the time, please?" "It's 3:30"; "What's the time please?" "It's half past three."*

Observe: o termo *o'clock* só é usado em caso de horas inteiras. Exemplos: *It's two o'clock.* / São duas horas; *The class starts at four o'clock.* / A aula começa às quatro horas.

observation

Errado: *He did an interesting observation.* / Ele fez uma observação interessante.

Correto: *He made an interesting observation.*

Observe: o padrão correto, nesse caso, é *make an observation*.

of

Errado: *I stayed at the house of a friend.* / Eu fiquei na casa de um amigo.

Correto: *I stayed at a friend's house.*

Observe: para indicar a relação de posse com pessoas e animais, geralmente usamos o caso genitivo (com apóstrofo e a letra "s" após o nome). Veja alguns exemplos: *Have you met Diane's husband?* / Você conheceu o marido da Diane?; *That's the teacher's car.* / Esse é o carro da professora; *It's the government's responsibility.* / É responsabilidade do governo; *The party is at Bob's house.* / A festa é na casa de Bob; *That's the dog's toy.* / Aquele é o brinquedo do cachorro. Geralmente usamos *of* para nos referir a posse de objetos em geral e para indicar partes de algo. Exemplo: *The leg of the table is broken.* / A perna da mesa está quebrada.

offer

ERRADO: *Can't you do a better offer?* / Você não pode fazer uma oferta melhor?

CORRETO: *Can't you make a better offer?*

OBSERVE: o padrão correto, nesse caso, é *make an offer*.

old

ERRADO: *The old are often neglected by the health system.* / Os idosos são geralmente negligenciados pelo sistema de saúde.

CORRETO: *The elderly are often neglected by the health system.*

OBSERVE: quando nos referimos a "pessoas idosas", geralmente usamos a palavra *elderly* (sempre com o artigo *the*), em inglês. Exemplo: *It's a home for the elderly.* / É um abrigo para idosos.

once

ERRADO: *Once we are in the city, why don't we visit some tourist attractions?* / Uma vez que estamos na cidade, por que não visitamos algumas atrações turísticas?

CORRETO: *Since we are in the city, why don't we visit some tourist attractions?; Considering that we are in the city, why don't we visit some tourist attractions?; Given that we are in the city, why don't we visit some tourist attractions?*

OBSERVE: geralmente usamos *once* para nos referirmos à "frequência de um evento" ou a uma "marca no tempo" (assim que, quando etc.). Exemplos: *I've only been to Belo Horizonte once.* / Eu só estive em Belo Horizonte uma vez; *Once we arrive, we'll take care of that.* / Assim que chegarmos, cuidaremos disso. Quando temos a intenção de justificar uma ação, geralmente usamos expressões como *since...*, *considering that...* e *given that...* no início da primeira oração.

one

ERRADO: *The train stops one time before it reaches Campinas.* / O trem para uma vez antes de chegar a Campinas.

CORRETO: *The train stops once before it reaches Campinas.*

OBSERVE: nesse caso, o mais indicado para se referir à frequência de um evento é *once, twice, three times, four times* etc.

other

ERRADO: *Do you know other restaurant around here?* / Você conhece outro restaurante por aqui?

CORRETO: *Do you know any other restaurants around here?*

OBSERVE: nesse caso, *other* vem sempre precedido de *any* e do substantivo no plural. Exemplos: *Do you know any other bars around here?* / Você conhece algum outro bar por aqui?; *Do you know any other people at the party?* / Você conhece alguma outra pessoa na festa?

outdoor

ERRADO: *They have outdoors all over the city advertising their clothes.* / Eles têm *outdoors* pela cidade toda para fazer propaganda de suas roupas.

CORRETO: *They have billboards all over the city advertising their clothes; They have hoardings all over the city advertising their clothes.*

OBSERVE: a palavra *outdoor(s)* significa "ao ar livre" ou "fora de casa". Exemplos: *I went to an outdoor concert last week.* / Eu fui a um concerto ao ar livre na semana passada; *The kids went outdoors to play.* / As crianças foram brincar lá fora. Quando nos referimos às "placas grandes de propaganda", usamos *billboards* (Amer) ou *hoardings* (Brit).

P

pain

    Errado: *I have an ache in my leg.* / Eu tenho uma dor na perna.

    Correto: *I have a pain in my leg.*

    Observe: embora tenham o mesmo significado, as palavras *pain* e *ache* possuem padrões e contextos de uso diferentes. Geralmente usamos o padrão *a pain in my leg/ foot/ back* etc. A palavra *ache* é usada para formar substantivos compostos como *headache, backache, earache, stomachache* etc. Veja alguns exemplos: *I've got a terrible headache.* / Eu estou com uma baita dor de cabeça. Também podemos usar *ache* como verbo em orações. Exemplo: *My back aches in the morning.* / Minhas costas doem de manhã.

paint

    Errado: *You sat in fresh paint.* / Você sentou na tinta fresca.

    Correto: *You sat in wet paint.*

    Observe: o padrão correto, nesse caso, é *wet paint*.

pants

    Errado: *I have to buy a new pants.* / Eu preciso comprar uma calça nova.

    Correto: *I have to buy some new pants; I have to buy new pants; I have to buy a new pair of pants.*

OBSERVE: a palavra *pants* é um substantivo sempre usado no plural, portanto, não aceita o artigo *a*.

paper

ERRADO: *Write your answers on a blank paper.* / Escreva as respostas numa folha de papel em branco.

CORRETO: *Write your answers on a blank sheet of paper.*

OBSERVE: geralmente usa-se a palavra *paper* para se referir ao "material" (*a paper airplane, a paper bag* etc.). Quando nos referimos a uma "folha de papel", usamos *sheet of paper* ou *piece of paper*. Exemplo: *She wrote her number on a piece of paper.* / Ela escreveu o número do telefone dela numa folha de papel.

parcel

ERRADO: *I'm paying for the car in parcels.* / Eu estou pagando o carro em parcelas.

CORRETO: *I'm paying for the car in installments.*

OBSERVE: a palavra *parcel* significa "pacote". Exemplo: *A parcel arrived for you while you were out.* / Um pacote chegou para você enquanto você estava fora. Quando nos referimos aos "pagamentos divididos" ou "em parcelas", usamos *installments*. Exemplo: *I have just three more installments to pay on the fridge.* / Eu tenho apenas mais três parcelas da geladeira para pagar.

pardon

ERRADO: *Pardon me. I was wrong to say those things.* / Me perdoe. Eu estava errado ao dizer aquelas coisas.

CORRETO: *Forgive me. I was wrong to say those things.*

OBSERVE: a expressão *pardon me* é geralmente usada para pedir que alguém repita algo que disse ou para pedir licença para passar. Exemplos: *Pardon me? I didn't hear you.* / Desculpe? Eu não o ouvi; *Pardon me. I'm getting off at this stop.* / Com licença. Eu vou descer neste ponto. A ideia de "perdoar" alguém é expressa de modo mais

parents

natural com o verbo *forgive*. Veja alguns exemplos: *My wife will never forgive me if she finds out about this.* / A minha esposa nunca vai me perdoar se ficar sabendo disso; *Forgive me for arriving so late, but I was caught in traffic.* / Perdoe-me por chegar tão atrasado, é que eu fiquei preso no trânsito.

parents

ERRADO: *I have parents in Bahia.* / Eu tenho parentes na Bahia.

CORRETO: *I have relatives in Bahia.*

OBSERVE: a palavra *parents* significa "pais" (pai e mãe). Exemplo: *Are your parents home?* / Seus pais estão em casa? Quando nos referimos a "parentes" ou "familiares", usamos *relatives*.

parking

ERRADO: *There is a parking beside the restaurant.* / Há um estacionamento ao lado do restaurante.

CORRETO: *There is a parking lot beside the restaurant; There is a car park beside the restaurant.*

OBSERVE: quando nos referimos a um "estacionamento de carros", usamos *parking lot* (Amer) ou *car park* (Brit).

particular

ERRADO: *She studies at a particular school.* / Ela estuda numa escola particular.

CORRETO: *She studies at a private school.*

OBSERVE: a palavra *particular* significa "específico". Exemplo: *Do you have a particular restaurant in mind for the celebration?* / Você tem um restaurante específico em mente para a festa? Quando nos referimos a algo "privado" ou "não público", usamos *private*, em inglês. Exemplos: *Can I talk to you in private?* / Posso falar com você em particular?; *Sorry. I can't let you through. This is private property.* / Desculpe. Eu não posso deixá-lo passar. Esta é uma propriedade particular.

party

ERRADO: *We're going to do a party tonight.* / Nós vamos fazer uma festa hoje à noite.

CORRETO: *We're going to have a party tonight; We're going to give a party tonight; We're going to throw a party tonight.*

OBSERVE: os padrões, nesse caso, são *have a party, give a party, throw a party*.

pass

ERRADO: *Where did you pass your summer holidays?* / Onde você passou as férias de verão?

CORRETO: *Where did you spend your summer holidays?*

OBSERVE: o padrão típico, nesse caso, é *spend time (one's holidays / a week / two months* etc.). Veja alguns exemplos: *I spent Christmas in Cuba.* / Eu passei o Natal em Cuba; *We spent a week in Rome.* / Nós passamos uma semana em Roma.

pay

ERRADO: *He offered to pay the lunch.* / Ele se ofereceu para pagar o almoço.

CORRETO: *He offered to pay for the lunch.*

OBSERVE: o padrão de uso, nesse caso, é *pay for something*. Porém, existem algumas exceções, como *pay a bill, pay taxes* etc. Veja alguns exemplos: *How much did you pay for your watch?* / Quanto você pagou pelo seu relógio?; *It's my turn to pay for the beer.* / É a minha vez de pagar a cerveja.

pay attention

ERRADO: *Pay attention in the teacher!* / Preste atenção na professora!

CORRETO: *Pay attention to the teacher!*

OBSERVE: o padrão correto, nesse caso, é *pay attention to someone/ something. Pay attention to what I'm saying!* / Preste atenção ao que eu estou dizendo!

payment

ERRADO: *Who is going to do the payment?* / Quem vai fazer o pagamento?

CORRETO: *Who is going to make the payment?*

OBSERVE: o padrão correto, nesse caso, é *make a payment*.

people

ERRADO: *The people are very selfish sometimes.* / As pessoas são muito egoístas, às vezes.

CORRETO: *People are very selfish sometimes.*

OBSERVE: quando nos referimos às "pessoas em geral", não usamos o artigo *the* antes da palavra *people*, exceto quando nos referimos a "um povo" ou "grupo específico de pessoas". Exemplos: *The people in Brazil are very nice.* / As pessoas no Brasil são muito simpáticas; *Do you know the people here?* / Você conhece as pessoas aqui?

phone

ERRADO: *I have to phone to my office to say I'll be late.* / Eu preciso telefonar para o escritório para dizer que vou chegar atrasado.

CORRETO: *I have to phone my office to say I'll be late.*

OBSERVE: o padrão, nesse caso, é *phone someone*, sem a preposição *to*. O mesmo serve para os verbos *telephone*, *call*, *ring* etc. Veja alguns exemplos: *Someone phone a doctor!* / Alguém ligue para um médico!; *Call me later.* / Me liga mais tarde; *Why don't we ring the restaurant for a pizza?* / Por que a gente não liga para o restaurante e pede uma pizza?

physician

ERRADO: *Einstein was a physician.* / Einstein era físico.

CORRETO: *Einstein was a physicist.*

OBSERVE: a palavra *physician* significa "médico". Quando nos referimos a um "físico" ou "cientista estudioso da física", usamos *physicist*.

piece

ERRADO: *He can't fix the car because he doesn't have the right piece.* / Ele não pode consertar o carro porque não tem a peça certa. Correto: *He can't fix the car because he doesn't have the right part.*

OBSERVE: a palavra *piece* é geralmente usada para se referir a um "pedaço de algo". Exemplo: *Would you like a piece of cake?* / Você gostaria de um pedaço de bolo? Quando nos referimos a uma "peça de carro, máquina etc.", geralmente usamos a palavra *part*. Veja alguns exemplos: *The shop sells parts for diesel engines.* / A loja vende peças para motores a diesel; *I need to change a part in the washing machine.* / Eu preciso trocar uma peça da máquina de lavar; *What's the part number?* / Qual é o número da peça?

pity

ERRADO: *She's always humiliating him. I have pity of him.* / Ela está sempre humilhando-o. Eu tenho pena dele.

CORRETO: *She's always humiliating him. I take pity on him.*

OBSERVE: o padrão correto, nesse caso, é *take pity on someone*.

place

ERRADO: *There is no place in the fridge for the cake.* / Não tem lugar na geladeira para colocar o bolo.

CORRETO: *There is no room in the fridge for the cake; There is no space in the fridge for the cake.*

OBSERVE: geralmente usamos a palavra *place* para nos referirmos a "um lugar ou área física". Exemplos: *There's a place beside the computer for the printer.* / Tem um lugar ao lado do computador para a impressora; *Is there a special place where you keep your wine glasses?* / Tem algum lugar especial onde você guarda as taças de vinho? Quando nos referimos a um "espaço vazio", geralmente usamos as palavras *room* ou *space*. Exemplos: *Is there room for everybody in the car?* / Tem lugar para todo mundo no carro?; *We have space for your bags in the trunk.* / Nós temos espaço para as suas bagagens no porta-malas.

plan

ERRADO: *The democrats did a plan to get more votes in the general elections.* / Os democratas fizeram um plano para obter mais votos nas eleições gerais.

CORRETO: *The democrats made a plan to get more votes in the general elections.*

OBSERVE: o padrão correto, nesse caso, é *make a plan*.

plate

ERRADO: *The northeast of Brazil has delicious regional plates.* / O nordeste do Brasil tem pratos típicos deliciosos.

CORRETO: *The northeast of Brazil has delicious regional dishes.*

OBSERVE: usamos a palavra *plate* quando nos referimos a um prato no sentido de "recipiente onde colocamos a comida". Exemplo: *Put your sandwich on a plate.* / Coloque o seu sanduíche num prato. Quando nos referimos a "comida preparada conforme uma receita (prato típico, prato francês etc.)", geralmente usamos a palavra *dish*. Exemplo: *Feijoada is a traditional Brazilian dish.* / A feijoada é um prato tradicional brasileiro.

please

ERRADO: *Please, where is the post office?* / Por favor, onde fica o correio?

CORRETO: *Excuse me, where is the post office?*

OBSERVE: a palavra *please* não é usada para chamar a atenção de alguém ou iniciar uma fala, como em português. Em inglês, a expressão usada é *excuse me*.

police[1]

ERRADO: *The police is looking for the bank robbers.* / A polícia está procurando os assaltantes do banco.

CORRETO: *The police are looking for the bank robbers.*

OBSERVE: a palavra *police* refere-se ao "coletivo de pessoas que

constituem a polícia" e, portanto, o verbo sempre vai para o plural.
Exemplo: *The police have a suspect.* / A polícia tem um suspeito.

police²

ERRADO: *They killed a police as they left the bank.* / Eles mataram um policial ao sair do banco.

CORRETO: *They killed a police officer as they left the bank; They killed a policeman as they left the bank; They killed a policewoman as they left the bank.*

OBSERVE: quando nos referimos a um "agente policial", geralmente usamos *police officer* ou *policeman / policewoman*.

poor

ERRADO: *The money is for the poors.* / O dinheiro é destinado aos pobres.

CORRETO: *The money is for the poor.*

OBSERVE: quando nos referimos a "uma classe" ou "categoria" (*the poor, rich, elderly, middle-class* etc.) no sentido coletivo, geralmente usamos o adjetivo sem "s" e com o artigo *the,* e o verbo vai para o plural. Exemplos: *The poor can't afford private health insurance.* / Os pobres não podem pagar plano de saúde particular; *The rich don't study in public schools in Brazil.* / Os ricos não estudam em escolas públicas no Brasil.

potential

ERRADO: *He has a good potential.* / Ele tem um bom potencial.
CORRETO: *He has a lot of potential.*
OBSERVE: o padrão típico, nesse caso, é *have a lot of potential*.

power

ERRADO: *She was ill and had no power.* / Ela estava doente e não tinha força.
CORRETO: *She was ill and had no strength; She was ill and had no energy.*

OBSERVE: a palavra *power* é geralmente usada para se referir ao "poder ou influência" de alguém. Exemplo: *She has a lot of power in the company.* / Ela tem muito poder na empresa. Quando nos referimos à "força física", geralmente usamos a palavra *strength*. Exemplo: *I used all my strength but I couldn't move the rock.* / Eu usei toda a minha força, mas não consegui mover a pedra. Já quando nos referimos à "energia ou pique", usamos a palavra *energy*. Exemplo: *I've got no energy today.* / Eu estou sem pique hoje.

prayer

ERRADO: *I'd like to make a prayer before we eat.* / Eu gostaria de fazer uma oração antes de comermos.
CORRETO: *I'd like to say a prayer before we eat.*
OBSERVE: o padrão correto, nesse caso, é *say a prayer*.

prejudice

ERRADO: *The storm caused a lot of prejudice.* / A tempestade causou muito prejuízo.
CORRETO: *The storm caused a lot of damage.*
OBSERVE: a palavra *prejudice* significa "preconceito". Exemplo: *The state won't tolerate prejudice or any other discrimination.* / O estado não tolera preconceito ou outro tipo de discriminação. Quando nos referimos a um "prejuízo" ou "dano", usamos *damage*. Exemplo: *Was there any damage to the car?* / Houve dano ao carro? Quando nos referimos a "prejuízo financeiro", podemos dizer *loss*, em inglês. Exemplo: *The company had massive losses.* / A empresa teve prejuízos imensos.

preservative

ERRADO: *The pharmacy had no preservatives.* / A farmácia não tinha preservativos.
CORRETO: *The pharmacy had no condoms; The pharmacy had no rubbers.*

OBSERVE: a palavra *preservative* significa "conservante". Exemplo: *Canned fruit is full of preservatives.* / Frutas enlatadas são cheias de conservantes. Quando nos referimos a um "preservativo" ou "camisinha", usamos *condom* (Amer) ou *rubber* (Brit).

pretend

ERRADO: *I pretend to be a doctor.* / Eu pretendo ser médico.

CORRETO: *I intend to be a doctor.*

OBSERVE: o verbo *pretend* significa "fingir" ou "fazer de conta". Exemplo: *She pretended that she was sleeping.* / Ela fingiu que estava dormindo. Quando nos referimos ao ato de "pretender" ou "ter a intenção de", usamos o verbo *intend*. Exemplo: *What do you intend to do?* / O que você pretende fazer?

pretty

ERRADO: *She's the most pretty girl I've seen.* / Ela é a garota mais linda que eu já vi.

CORRETO: *She's the prettiest girl I've seen.*

OBSERVE: a forma correta do superlativo com *pretty* é *prettiest*. Adjetivos ou advérbios curtos são geralmente acrescidos de "*-est*" para formar o superlativo em inglês. Veja alguns exemplos: *Jane is the tallest girl in class.* / A Jane é a garota mais alta da classe; *That is the biggest car I've ever seen.* / Este é o maior carro que eu já vi.

process

ERRADO: *They could process you for what you said.* / Eles poderiam processar você pelo que você disse.

CORRETO: *They could take you to court for what you said; They could sue you for what you said.*

OBSERVE: o verbo *process* geralmente se refere ao "processamento de um produto, comida etc.", em inglês. Exemplo: *The fish are processed on the ship.* / Os peixes são limpos e embalados no navio. Quando nos referimos ao ato de "processar alguém legalmente", geralmente usamos os termos *take someone to court* ou *sue someone*. Veja mais

professor

exemplos: *You can take them to court for breach of contract.* / Você pode processá-los por quebra de contrato; *My ex-wife is suing me.* / Minha ex-mulher está me processando.

professor

ERRADO: *She's my daughter's professor.* / Ela é a professora da minha filha.

CORRETO: *She's my daughter's teacher.*

OBSERVE: a palavra *professor* é usada para se referir a "um professor universitário". Exemplo: *He is professor of history at Harvard University.* / Ele é professor de história na Universidade de Harvard. Quando nos referimos a um "professor de pré-escola, ensino fundamental ou ensino médio", usamos a palavra *teacher*.

progress

ERRADO: *We're doing a lot of progress with the new project.* / Nós estamos fazendo bastante progresso com o novo projeto.

CORRETO: *We're making a lot of progress with the new project.*

OBSERVE: o padrão correto, nesse caso, é *make progress with something*.

promise

ERRADO: *He did a lot of promises.* / Ele fez um monte de promessas.

CORRETO: *He made a lot of promises.*

OBSERVE: o padrão correto, nesse caso, é *make a promise*.

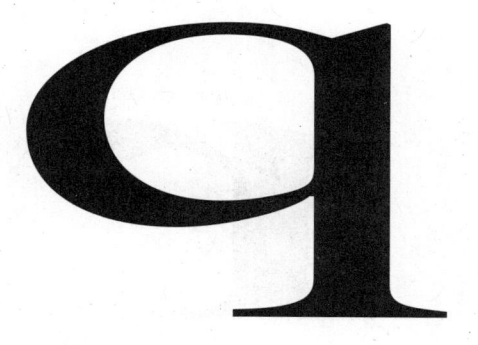

question
>**Errado:** *She made a question.* / Ela fez uma pergunta.
>**Correto:** *She asked a question.*
>**Observe:** o padrão correto, nesse caso, é *ask a question* ou *ask someone a question*. Veja alguns exemplos: *Stop asking so many questions!* / Pare de fazer tantas perguntas!; *He asked the teacher a question.* / Ele fez uma pergunta ao professor.

r

rain¹

ERRADO: *It's raining strong.* / Está chovendo forte.

CORRETO: *It's raining hard; It's raining heavily.*

OBSERVE: os padrões, nesse caso, são *rain hard* ou *rain heavily*. Quando queremos dizer que está "chovendo muito", usamos as seguintes expressões: *It's raining cats and dogs; It's really coming down; It's pouring; It's coming down in buckets*, entre outras.

rain²

ERRADO: *Rains a lot in the summer.* / Chove muito no verão.

CORRETO: *It rains a lot in the summer.*

OBSERVE: para toda oração deve haver um sujeito gramatical em inglês; quando ele não existe ou é indeterminado, usamos o pronome neutro *it*. Exemplos: *It's very hot today.* / Está muito quente hoje; *It's now or never.* / É agora ou nunca.

realize

ERRADO: *I realized my dream of going to Europe.* / Eu realizei meu sonho de viajar para Europa.

CORRETO: *I fulfilled my dream of going to Europe; My dream of going to Europe came true.*

OBSERVE: o verbo *realize* (Amer) ou *realise* (Brit) significa "perceber" ou "dar-se conta". Exemplo: *Suddenly I realized there was someone following me.* / De repente, eu percebi que tinha alguém me seguindo. Quando nos referimos ao ato de "realizar ou concretizar um sonho", geralmente usamos o verbo *fulfil* ou a expressão *come true*.

recipient

ERRADO: *I put the leftovers in a recipient in the fridge.* / Eu coloquei as sobras de comida num recipiente na geladeira.

CORRETO: *I put the leftovers in a container in the fridge.*

OBSERVE: a palavra *recipient* significa "recebedor" ou "alguém que recebe". Exemplos: *She is last year's recipient of the Booker Prize.* / Ela é a pessoa que recebeu o prêmio Booker Prize no ano passado; *The doctor examined the liver recipient.* / O médico examinou a pessoa que recebeu o fígado. Quando nos referimos a um "recipiente para guardar coisas", geralmente usamos a palavra *container*.

recommendation

ERRADO: *I have only one recommendation to do.* / Eu só tenho uma recomendação a fazer.

CORRETO: *I have only one recommendation to make.*

OBSERVE: o padrão correto, nesse caso, é *make a recommendation*.

record

ERRADO: *I don't record when we met.* / Eu não me recordo da época em que nos conhecemos.

CORRETO: *I don't remember when we met; I don't recall when we met.*

OBSERVE: o verbo *record* significa "gravar (som, música etc.)". Exemplos: *The Beatles recorded Abbey Road in 1969;* / Os Beatles gravaram Abbey Road em 1969; *The police recorded the telephone* *call.* / A polícia gravou a ligação telefônica. Quando nos referimos ao ato de "recordar-se" ou "lembrar-se de algo", geralmente usamos os verbos *remember* ou *recall*. Exemplos: *Do you remember Susan?* / Você se lembra da Susan? *I can't recall your name.* / Eu não me lembro do seu nome.

reference

ERRADO: *He did some references to the books he had read.* / Ele fez algumas referências aos livros que havia lido.
CORRETO: *He made some references to the books he had read.*
OBSERVE: o padrão correto, nesse caso, é *make a reference to something*.

reform

ERRADO: *We're reforming our apartment.* / Nós estamos reformando nosso apartamento.
CORRETO: *We're renovating our apartment; We're revamping our apartment; We're doing up our apartment.*
OBSERVE: o verbo *reform* significa "reformular, renovar, regenerar" e é geralmente associado a pessoas ou instituições. Exemplo: *They have to reform the tax system.* / Eles têm que reformular o sistema tributário; *Prisons don't usually reform criminals.* / A prisão geralmente não regenera os criminosos. Quando nos referimos a uma "reforma de casa, apartamento, prédio etc.", geralmente usamos os verbos *renovate*, *revamp*, *do something up*.

rehearsal

ERRADO: *We always make a rehearsal before the show.* / Nós sempre fazemos um ensaio antes do show.
CORRETO: *We always have a rehearsal before the show.*
OBSERVE: o padrão típico, nesse caso, é *have a rehearsal*.

relation

ERRADO: *I don't have a good relation with my boss.* / Eu não tenho um bom relacionamento com o meu chefe.

CORRETO: *I don't have a good relationship with my boss.*
OBSERVE: a palavra *relation* descreve a ligação entre duas pessoas ou coisas. Exemplos: *There is a strong relation between smoking and lung cancer.* / Há uma grande relação entre o fumo e o câncer pulmonar; *Is there any relation between the two robberies?* / Há alguma relação entre os dois roubos? Quando nos referimos ao "relacionamento" entre duas ou mais pessoas, geralmente usamos a palavra *relationship*. Exemplo: *Do you have a good relationship with your neighbors?* / Você tem um bom relacionamento com os seus vizinhos?

relax

ERRADO: *Try to relax yourself.* / Tente relaxar.
CORRETO: *Try to relax.*
OBSERVE: o verbo *relax* não é reflexivo e, portanto, não pode ser usado com pronomes reflexivos como *myself, yourself, himself* etc. Veja mais exemplos: *Why don't you relax and put your feet up?* / Por que você não relaxa e fica numa boa?; *Nothing relaxes me like a hot bath.* / Nada me relaxa tanto como um banho quente.

remember

ERRADO: *Remember Jeff to phone the office.* / Lembre Jeff de ligar para o escritório.
CORRETO: *Remind Jeff to phone the office.*
OBSERVE: os verbos *remember* e *remind* podem ser traduzidos igualmente por "lembrar", porém possuem padrões de uso diferentes. Usamos *remember* quando nos referimos ao ato de "trazer à memória". Exemplo: *I remember the good times we had.* / Eu me lembro dos bons momentos que tivemos. Quando nos referimos ao ato de "lembrar alguém de fazer algo" ou "trazer à memória a lembrança de alguém", usamos o verbo *remind*. Exemplos: *Can you remind me to stop at the pharmacy?* / Você pode me lembrar de parar na farmácia?; *She reminds me of that Spanish actress.* / Ela me lembra aquela atriz espanhola.

repeat

ERRADO: *Repeat, please?* / Repita, por favor?

CORRETO: *Can you repeat that, please?; Could you repeat that, please?; Would you mind repeating that?*

OBSERVE: não é comum usarmos a forma imperativa para fazer pedidos em inglês. Quando não entendemos algo e queremos que a pessoa repita o que acabou de dizer também podemos usar as seguintes expressões: *I'm sorry, what did you say?*; *I didn't catch that. Could you repeat it?*; *Come again?* (*inf*).

research[1]

ERRADO: *He made a research on pop music.* / Ele fez uma pesquisa sobre música popular.

CORRETO: *He did some research on pop music; He carried out research on pop music; He conducted some research on pop music.*

OBSERVE: os padrões, nesse caso, são *do/carry out/conduct research on something*.

research[2]

ERRADO: *I read a research about cancer.* / Eu li uma pesquisa sobre câncer.

CORRETO: *I read a study on cancer.*

OBSERVE: a palavra *research* é um substantivo incontável e, portanto, não pode ser usada com o artigo *a*. Exemplo: *They do research on global warming.* / Eles fazem pesquisas sobre aquecimento global. Quando nos referimos a uma pesquisa realizada e concretizada, usamos a palavra *study*. Exemplo: *Recent studies have proven that the vaccine doesn't work.* / Estudos recentes provam que a vacina não funciona.

research[3]

ERRADO: *She does researches on whales.* / Ela faz pesquisas sobre baleias.

CORRETO: *She does research on whales.*

Observe: a palavra *research* é um substantivo incontável e, portanto, não pode ser pluralizada. Quando nos referimos a "pesquisas", no plural, podemos usar *studies* ou *papers* (estudos publicados em periódicos acadêmicos). Exemplos: *She has published a few studies on African art.* / Ela publicou alguns estudos sobre arte africana; *There are two papers on nanotechnology in this issue of Science.* / Há dois estudos sobre nanotecnologia nesta edição do periódico *Science*.

responsible[1]

Errado: *Who is responsable for this?* / Quem é responsável por isto?

Correto: *Who is responsible for this?*

Observe: a palavra *responsible* é sempre escrita com o sufixo *-ible* no final, e não *-able*.

responsible[2]

Errado: *I'm responsible to manage the accounts at the company.* / Eu sou responsável por gerenciar as contas na empresa.

Correto: *I'm responsible for managing the accounts at the company.*

Observe: o padrão correto, nesse caso, é *be responsible for something* ou *be responsible for doing something*. Veja mais exemplos: *Are you responsible for this?* / Você é responsável por isto?; *Who's responsible for making this mess?* / Quem é o responsável por ter feito essa bagunça?

responsible[3]

Errado: *Who is the responsible in your department?* / Quem é o responsável no seu departamento?

Correto: *Who is the boss in your department?; Who is the head of your department?; Who is in charge in your department?; Who runs your department?*

Observe: a palavra *responsible* é um adjetivo e não pode ser usada como substantivo, como em português ("o responsável").

O padrão de uso da palavra *responsible* é *be responsible for something* ou *be responsible for doing something*. Veja mais exemplos: *Who is responsible for the mistake?* / Quem é o responsável pelo erro?; *Who is responsible for paying accounts?* / Quem é o responsável pelo pagamento das contas?

resume

ERRADO: *I'll resume what happened in the meeting.* / Eu vou resumir o que aconteceu na reunião.
CORRETO: *I'll summarize what happened in the meeting.*
OBSERVE: o verbo *resume* significa "retomar (atividade)". Exemplos: *When everyone is seated again we'll resume the meeting.* / Quando todos estiverem sentados novamente, retomaremos a reunião; *Regular broadcasting will resume after these messages.* / A programação normal será retomada após estas mensagens. Quando nos referimos ao ato de "resumir" ou "encurtar algo", usamos o verbo *summarize* ou ainda *sum up* (*inf*). Exemplo: *It's a long story so I'll just sum it up for you.* / É uma longa história, então eu vou resumi--la para você.

reunion

ERRADO: *The manager is in a reunion.* / O gerente encontra-se em uma reunião.
CORRETO: *The manager is in a meeting.*
OBSERVE: a palavra *reunion* refere-se aos "reencontros de família e amigos que moram longe ou se encontram com pouca frequência". Exemplos: *I saw all my cousins at the family reunion.* / Eu encontrei todos os meus primos no reencontro familiar; *Are you going to the school reunion this year?* / Você vai ao reencontro da turma da escola este ano? Quando nos referimos a uma "reunião de negócios" ou "reunião para discutir um assunto específico", usamos *meeting*. Exemplo: *We have a meeting at 4:00 with the sales team.* / Nós temos uma reunião às 4 horas com a equipe de vendas.

rob

ERRADO: *Someone robbed my purse on the bus.* / Alguém roubou a minha bolsa no ônibus.

CORRETO: *Someone stole my purse on the bus.*

OBSERVE: o padrão correto, nesse caso, é *rob someone* ou *rob a bank/store* etc. Veja mais exemplos: *They robbed the museum and took three paintings.* / Eles roubaram o museu e levaram três quadros; *Someone robbed the bank this morning.* / Alguém assaltou o banco hoje cedo; *I was robbed near the subway station.* / Eu fui assaltado perto da estação do metrô. Já o padrão de uso do verbo *steal* é *steal something (from someone)*. Exemplo: *He stole my bike.* / Ele roubou minha bicicleta.

romance

ERRADO: *I'm reading a good romance.* / Eu estou lendo um bom romance.

CORRETO: *I'm reading a good novel.*

OBSERVE: a palavra *romance* significa "relação amorosa" ou "caso de amor". Exemplo: *She's looking for a summer romance.* / Ela está à procura de uma romance passageiro. Quando nos referimos ao gênero literário "romance", usamos a palavra *novel*.

run

ERRADO: *She has been running all day preparing for her trip.* / Ela está correndo o dia inteiro se preparando para a viagem.

CORRETO: *She has been running around all day preparing for her trip; She has been hurrying about all day preparing for her trip; She has been rushing around all day preparing for her trip.*

OBSERVE: nesse caso, quando nos referimos à agitação no sentido de "fazer muitas coisas às pressas", geralmente usamos *run around, run about, hurry around, rush about* etc. Veja mais exemplos: *Take your time. You don't have to rush about.* / Relaxe. Você não precisa fazer as coisas às pressas; *I've been hurrying about to get things ready for the presentation this afternoon.* / Eu estou correndo feito louco para aprontar a apresentação de hoje à tarde.

S

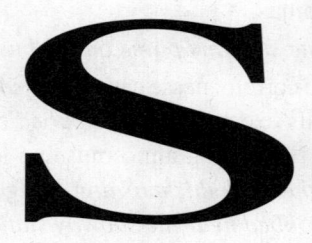

sacrifice

Errado: *He won't do any sacrifices to help you.* / Ele não fará nenhum sacrifício para ajudá-lo.

Correto: *He won't make any sacrifices to help you.*

Observe: o padrão correto, nesse caso, é *make a sacrifice*.

salary[1]

Errado: *An English teacher's salary is 20 dollars per hour.* / O salário de um professor de inglês é 20 dólares por hora.

Correto: *An English teacher's wage is 20 dollars per hour.*

Observe: a palavra *salary* é geralmente usada para se referir ao valor total que alguém recebe por ano (mesmo pago mensalmente ou por quinzena). Exemplo: *The starting salary for an engineer in the company is 50,000 dollars per year.* / O salário inicial de um engenheiro na empresa é de 50.000 dólares por ano. Quando nos referimos ao valor pago por hora, geralmente usamos a palavra *wage*. Exemplo: *Minimum wage in the state of New York is 7 bucks.* / O menor salário por hora no estado de Nova York é de 7 dólares.

salary[2]

Errado: *What is the minimum salary in the States?* / Qual é o salário-mínimo nos Estados Unidos?

CORRETO: *What is the minimum wage in the States?*
OBSERVE: o salário-mínimo nos Estados Unidos e no Canadá é um valor calculado por hora e, portanto, não é chamado de *salary*, mas de *wage*. Exemplo: *They're paying minimum wage for waiters.* / Eles estão pagando um salário-mínimo para garçons.

satisfied

ERRADO: *I can't eat anymore. I'm satisfied.* / Eu não aguento comer mais. Eu estou satisfeito.
CORRETO: *I can't eat anymore. I'm full; I can't eat anymore. I'm stuffed* (*inf*).
OBSERVE: a palavra *satisfied* é geralmente usada para dizer que estamos "satisfeitos com um serviço ou resultado de algo". Exemplo: *Are you satisfied with the service?* / Você está satisfeito com o serviço? Quando nos referimos à expressão "Eu estou satisfeito" à mesa, geralmente usamos as expressões *I'm full* ou *I'm stuffed*.

say[1]

ERRADO: *Can you say the time, please?* / Você pode dizer as horas, por favor?
CORRETO: *Can you tell me the time, please?; Can you give me the time, please?*
OBSERVE: os padrões típicos, nesse caso, são *tell (someone) the time* ou *give someone the time*.

say[2]

ERRADO: *Come on! Say the truth!* / Vamos lá! Diga a verdade!
CORRETO: *Come on! Tell the truth!*
OBSERVE: o padrão correto, nesse caso, é *tell the truth*.

say[3]

ERRADO: *He said me he didn't like the film.* / Ele me disse que não gostou do filme.

CORRETO: *He said he didn't like the film.*
OBSERVE: o padrão de uso, nesse caso, é *say something (to someone)*.
Exemplo: *The manager said the meeting was at 9:00.* / O gerente disse que a reunião era às 9 horas; *She didn't even say "hello" to me.* / Ela nem disse "oi" pra mim.

say⁴

ERRADO: *She never says lies.* / Ela nunca conta mentiras.
CORRETO: *She never tells lies.*
OBSERVE: o padrão correto, nesse caso, é *tell lies*.

scenario

ERRADO: *The movie had expensive scenarios.* / O filme tinha cenários caros.
CORRETO: *The movie had expensive sets.*
OBSERVE: a palavra *scenario* significa "situação provável" ou "previsão". Exemplos: *The scenario for car sales doesn't look good for the next 12 months.* / A previsão das vendas de carros não parece ser boa para os próximos 12 meses; *Police are investigating two possible scenarios leading up to the murder.* / A polícia está investigando duas possíveis situações que levaram ao assassinato. Quando nos referimos a um "cenário de filme", geralmente usamos *set*, e, se nos referimos a um "cenário de peça de teatro", dizemos *scene*.

search

ERRADO: *Are you still searching a job?* / Você ainda está procurando emprego?
CORRETO: *Are you still searching for a job?; Are you still looking for a job?*
OBSERVE: o verbo *search*, sem a preposição *for*, significa "revistar" ou "vasculhar" e o padrão de uso é *search someone/something*, em inglês. Veja alguns exemplos: *They searched everyone before they boarded the plane.* / Eles revistaram todo mundo antes de embarcar no avião; *The police searched the house but didn't find the diamonds.* /

A polícia vasculhou a casa, mas não encontrou os diamantes. Quando nos referimos ao ato de "procurar por algo", geralmente usamos *search for* ou *look for*. Exemplos: *There was a woman here this morning looking for you.* / Veio uma mulher aqui hoje de manhã procurando por você; *They are searching for a new house to buy.* / Eles estão procurando uma casa nova para comprar.

see

ERRADO: *We just sat there seeing the cows in the field.* / Nós sentamos lá e ficamos olhando as vacas no pasto.
CORRETO: *We just sat there watching the cows in the field.*
OBSERVE: geralmente usamos o verbo *see* para expressar a ideia geral de "ver" ou "enxergar", ou seja, um ato involuntário ou sem que haja necessariamente atenção envolvida, em inglês. Veja alguns exemplos: *I just saw lightning.* / Acabei de ver um raio; *Go and see who has just arrived.* / Vá ver quem acabou de chegar; *Can you see anything without your glasses?* / Você consegue enxergar alguma coisa sem os óculos? Quando queremos passar a ideia de "olhar com atenção" ou "observar", geralmente usamos o verbo *watch*. Veja alguns exemplos: *What are you watching on TV?* / O que você está assistindo na TV?; *I was watching the way they catch fish.* / Eu estava observando como eles pegam os peixes.

send

ERRADO: *I can send to you the information.* / Eu posso enviar para você as informações.
CORRETO: *I can send you the information.*
OBSERVE: o padrão correto, nesse caso, é *send someone something* ou *send something (to someone)*. Veja mais exemplos: *I sent my sister a letter.* / Eu enviei uma carta para a minha irmã; *Are you going to send the catalogue to me?* / Você vai enviar o catálogo para mim?

sensible

ERRADO: *She's very sensible. She always cries for no reason.* / Ela é muito sensível. Ela sempre chora sem motivo algum.

CORRETO: *She's very sensitive. She always cries for no reason.*
OBSERVE: a palavra *sensible* significa "sensato" ou "de bom senso". Exemplo: *That sounds like a sensible solution.* / Essa parece ser uma solução sensata. Quando nos referimos a uma "pessoa sensível emocionalmente", geralmente usamos *sensitive*. Exemplo: *Don't be so sensitive. I was only joking.* / Não seja tão sensível. Eu estava apenas brincando.

sex

ERRADO: *They made sex in the car.* / Eles fizeram sexo no carro.
CORRETO: *They had sex in the car.*
OBSERVE: o padrão correto, nesse caso, é *have sex*.

shadow

ERRADO: *I sat in the shadow of a tree and waited for the bus.* / Eu me sentei à sombra de uma árvore e esperei o ônibus.
CORRETO: *I sat in the shade of a tree and waited for the bus.*
OBSERVE: embora tenham a mesma tradução, as palavras *shadow* e *shade* são usadas em contextos distintos. Quando nos referimos a uma "área de sombra", como embaixo de uma árvore, geralmente usamos a palavra *shade*. Exemplo: *Let's get a table in the shade.* / Vamos pegar uma mesa na sombra. Quando nos referimos à "projeção da sombra de alguém ou algo no chão, parede etc.", geralmente usamos a palavra *shadow*. Exemplo: *I knew you were behind me because I could see your shadow on the ground.* / Eu sabia que você estava atrás de mim porque eu vi a sua sombra no chão.

shopping[1]

ERRADO: *I went to the shopping last Saturday.* / Eu fui ao shopping no sábado passado.
CORRETO: *I went to the shopping center last Saturday; I went to the shopping mall last Saturday; I went to the mall last Saturday.*
OBSERVE: a palavra *shopping* geralmente se refere à "atividade de

fazer compras", em inglês, e não ao "conjunto de estabelecimentos comerciais". Exemplo: *Would you like to go shopping with us?* / Você gostaria de fazer compras com a gente? Quando nos referimos a um "shopping", geralmente dizemos *shopping mall, shopping center* ou apenas *mall*.

shopping[2]

ERRADO: *My favorite thing to do is go to shop.* / Minha atividade preferida é fazer compras.

CORRETO: *My favorite thing to do is go shopping.*

OBSERVE: quando nos referimos à atividade de "fazer compras", dizemos *go shopping*. Exemplo: *If I had the money, I'd go shopping a lot more.* / Se eu tivesse dinheiro, eu faria muito mais compras.

side

ERRADO: *On one side, the job pays well. But on the other side, it's far from home.* / Por um lado, o emprego paga bem. Por outro lado, fica longe de casa.

CORRETO: *On the one hand, the job pays well. But on the other hand, it's far from home.*

OBSERVE: o padrão típico para expressar ideias contrastantes, nesse caso, é *on the one hand..., on the other hand...* Veja mais um exemplo: *On the one hand, flying is faster than the bus. On the other hand, it can be more expensive.* / Por um lado, viajar de avião é mais rápido do que de ônibus. Por outro lado, pode ser mais caro.

since

ERRADO: *I live in São Paulo since 1995.* / Eu moro em São Paulo desde 1995.

CORRETO: *I have lived in São Paulo since 1995; I have been living in São Paulo since 1995.*

OBSERVE: quando queremos falar de uma ação que começou no passado e continua até o presente momento, geralmente utilizamos o tempo verbal *Present Perfect*, em inglês. Veja mais exemplos: *I* *have known Tim for 2 years.* / Eu conheço o Tim há dois anos; *I have been an engineer for 10 years.* / Eu sou engenheiro há 10 anos; *He has been working for that company since 2005.* / Ele trabalha para aquela empresa desde 2005.

skin

ERRADO: *She has clear skin and blue eyes.* / Ela tem pele clara e olhos azuis.

CORRETO: *She has fair skin and blue eyes.*

OBSERVE: *clear skin* significa "pele sem espinhas" ou "pele sem manchas". Quando nos referimos a cor de "pele clara", dizemos *fair skin*.

skinny

ERRADO: *She's very skinny and elegant.* / Ela é bem magra e elegante.

CORRETO: *She's very thin and elegant.*

OBSERVE: o adjetivo *skinny* significa "muito magro" ou "magricelo" e possui conotação negativa, em inglês. Quando nos referimos a uma pessoa "esbelta", geralmente usamos os adjetivos *thin* ou *slim*. Exemplo: *Just look at her! She's so slim.* / Olha só para ela! Ela é tão esbelta!

sleep

ERRADO: *I normally sleep at 11 o'clock at night.* / Eu geralmente durmo às 11 horas da noite.

CORRETO: *I normally go to bed at 11 o'clock at night.*

OBSERVE: o verbo *sleep* é geralmente usado para descrever o ato de "dormir" ou "adormecer". Veja alguns exemplos: *She can't come to the phone. She's sleeping.* / Ela não pode atender o telefone. Ela está dormindo. Quando nos referimos ao ato de "ir para a cama no final do dia para dormir", geralmente usamos a expressão *go to bed*. Exemplo: *What time do you usually go to bed?* / A que horas você costuma dormir?

soda

ERRADO: *Would you like a coke or a soda?* / Você quer uma coca ou uma soda limonada?

CORRETO: *Would you like a coke or a lemon soda?*

OBSERVE: a palavra *soda* significa "refrigerante" (Amer). Exemplo: *Feel like a soda?* / Você está a fim de um refrigerante? O "refrigerante de limão" conhecido no Brasil como "soda limonada" chama-se *lemon soda*.

spank

ERRADO: *The thieves spanked the man.* / Os ladrões espancaram o homem.

CORRETO: *The thieves beat up the man; The thieves beat the man to a pulp.*

OBSERVE: o verbo *spank* significa "dar umas palmadas no traseiro" e é geralmente usado para se referir a crianças. Exemplo: *She spanked her daughter for being rude.* / Ela deu umas palmadas no traseiro da filha por malcriação. Quando nos referimos ao ato violento de "espancar uma pessoa", geralmente usamos *beat someone up*.

speak

ERRADO: *I had dinner with some friends and we spoke for hours about the old days.* / Eu jantei com alguns amigos e conversamos por horas sobre os velhos tempos.

CORRETO: *I had dinner with some friends and we talked for hours about the old days.*

OBSERVE: o verbo *speak* significa "falar" ou "fazer um pronunciamento formal", mas não se refere necessariamente a um diálogo entre pessoas. Veja alguns exemplos: *She spoke for over an hour to the new students about her research on stem cells.* / Ela falou por mais de uma hora com os novos alunos sobre a pesquisa dela com células-tronco; *I'll speak to the accountant about the problem.* / Eu vou falar com o contador sobre o problema; *The president is going to speak on TV at 10:00 tonight.* / O presidente vai fazer um pronunciamento na TV às 22 horas. Quando queremos expressar a ideia de "conversar, dialogar, bater papo", geralmente usamos o verbo *talk*. Exemplos: *I don't want to talk about that any more.* / Eu não quero mais conversar sobre isso; *Can you talk to her about this problem?* / Você pode conversar com ela a respeito deste problema?

spectator
ERRADO: *The spectators really liked the show.* / Os espectadores realmente gostaram da apresentação.
CORRETO: *The audience really liked the show.*
OBSERVE: geralmente usamos a palavra *spectators* quando nos referimos aos "espectadores" de um evento esportivo, em inglês. Exemplo: *Seventy thousand spectators watched as Brazil beat Argentina in the final.* / Setenta mil espectadores assistiram à vitória do Brasil sobre a Argentina na final. Quando nos referimos à "plateia de um show, peça de teatro etc.", geralmente usamos a palavra *audience*. Exemplo: *There were a few famous people in the audience.* / Havia algumas pessoas famosas na plateia.

speech
ERRADO: *The teacher asked us to do a speech in English.* / A professora nos pediu para fazer um discurso em inglês.
CORRETO: *The teacher asked us to give a speech in English; The teacher asked us to make a speech in English.*
OBSERVE: o padrão típico, nesse caso, é *give/make a speech*.

steal
ERRADO: *They stole her apartment.* / Eles roubaram o apartamento dela.
CORRETO: *They robbed her apartment.*
OBSERVE: o verbo *steal* é usado quando se trata de "roubar e levar embora alguma coisa (dinheiro, carteira, carro etc.)", em inglês.

Exemplo: *Someone stole the stereo.* / Alguém roubou o som; *They stole a car to escape.* / Eles roubaram um carro para fugir. Quando nos referimos ao "lugar ou à pessoa roubada", geralmente usamos o verbo *rob*. Exemplos: *They robbed the bank.* / Eles roubaram o banco; *He robbed an old lady.* / Ele roubou uma senhora idosa.

stop

ERRADO: *I stopped to study English last year.* / Eu parei de estudar inglês no ano passado.
CORRETO: *I stopped studying English last year.*
OBSERVE: o padrão típico, nesse caso, é *stop doing something*, em inglês. Exemplo: *I stopped smoking after my son was born.* / Eu parei de fumar depois que o meu filho nasceu. Quando nos referimos à "interrupção de uma atividade para fazer outra coisa", usamos o padrão *stop to do something*. Veja alguns exemplos: *On the way home I stopped to buy some flowers.* / No caminho de casa eu parei para comprar umas flores; *When I'm working I hate to stop to answer the phone.* / Quando estou trabalhando odeio parar para atender o telefone; *I'm busy. I can't stop to talk right now.* / Eu estou ocupado. Eu não posso parar para conversar agora.

study

ERRADO: *I study in USP.* / Eu estudo na USP.
CORRETO: *I study at USP.*
OBSERVE: o padrão de uso, nesse caso, é *study/teach etc. at a university*. Exemplo: *Do you still teach at Harvard?* / Você ainda dá aula em Harvard?

success

ERRADO: *Their new CD made a lot of success.* / O novo CD deles fez muito sucesso.
CORRETO: *Their new CD was a great success.*
OBSERVE: o padrão típico, nesse caso, é *be a success*.

suggestion

ERRADO: *Can I do a suggestion?* / Posso fazer uma sugestão?
CORRETO: *Can I make a suggestion?*
OBSERVE: o padrão correto, nesse caso, é *make a suggestion*.

support

ERRADO: *I can't support the traffic in São Paulo.* / Eu não suporto o trânsito em São Paulo.
CORRETO: *I can't put up with the traffic in São Paulo; I can't bear the traffic in São Paulo.*
OBSERVE: o verbo *support* significa "apoiar" ou "torcer (para um time)". Exemplos: *We support their decision.* / Nós apoiamos a decisão deles; *What team do you support?* (Brit). / Para que time você torce? Quando nos referimos ao ato de "tolerar" ou "suportar algo ou alguém", geralmente usamos *put up with someone/something* ou *bear someone/something*. Veja mais exemplos: *How do you put up with her?* / Como você a tolera? *I can't bear this any longer.* / Eu não suporto mais isso.

surgery

ERRADO: *I made a surgery.* / Eu fiz uma cirurgia.
CORRETO: *I had an operation; I underwent surgery (form).*
OBSERVE: o padrão correto, nesse caso, é *have an operation* ou *undergo surgery (form)*.

surprised

ERRADO: *I stayed surprised.* / Eu fiquei surpreso.
CORRETO: *I was surprised.*
OBSERVE: o padrão correto, nesse caso, é *be surprised*. O verbo "ficar", em português, tem muitos significados diferentes, dependendo do contexto, e raramente pode ser traduzido por *stay*.

sympathetic

ERRADO: *She's very sympathetic and has a good sense of humor.* /

Ela é muito simpática e tem um bom senso de humor.

CORRETO: *She's very nice and has a good sense of humor; She's very friendly and has a good sense of humor; She's very amiable and has a good sense of humor.*

OBSERVE: o adjetivo *sympathetic* significa "solidário" ou "compreensivo". Exemplos: *She was very sympathetic when she heard of my problems.* / Ela foi muito solidária quando ficou sabendo dos meus problemas; *My boss wasn't very sympathetic when I told him I was late because someone had stolen my car this morning.* / Meu chefe não foi muito compreensivo quando eu disse a ele que estava atrasado porque alguém havia roubado meu carro de manhã. Quando nos referimos a uma pessoa "simpática" ou "legal", geralmente usamos os adjetivos *nice, friendly, amiable, sweet, charming*, entre outros.

syndicate

ERRADO: *I'm a member of the teachers' syndicate.* / Eu sou membro do sindicato dos professores.

CORRETO: *I'm a member of the teachers' union.*

OBSERVE: a palavra *syndicate* geralmente se refere a "parceiros de negócios" em inglês. Exemplo: *The car part manufacturers form a powerful syndicate.* / Os fabricantes de peças de carro formam um grupo poderoso. A palavra *syndicate* também é usada para se referir a uma "quadrilha envolvida em crime organizado" ou "cartel". Exemplos: *Police infiltrated one of the largest crime syndicates in the country.* / A polícia se infiltrou em um dos maiores cartéis do crime no país. Quando nos referimos a um "sindicato representante de uma categoria profissional", geralmente usamos a palavra *union*. Exemplo: *I belong to the steel workers' union.* / Eu pertenço ao sindicato dos metalúrgicos.

t

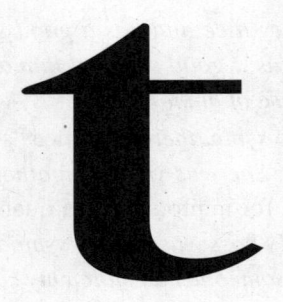

take[1]

ERRADO: *I take 15 minutes to get to work.* / Eu levo 15 minutos para chegar ao trabalho.

CORRETO: *It takes me fifteen minutes to get to work.*

OBSERVE: o padrão correto, nesse caso, é *it takes me/you/him etc. (10 minutes/one hour) to do something.* Veja mais exemplos: *It usually takes Alfred one hour to cook dinner.* / Geralmente leva uma hora para Alfred preparar o jantar; *It took us three months to get a new visa.* / Levamos três meses para conseguir um novo visto.

take[2]

ERRADO: *If you come tomorrow, take your boyfriend as well.* / Se você vier amanhã, traga o seu namorado também.

CORRETO: *If you come tomorrow, bring your boyfriend as well.*

OBSERVE: o verbo *take* geralmente refere-se ao ato de "levar algo ou alguém a algum lugar". Exemplos: *Take these chairs to the kitchen.* / Leve essas cadeiras para a cozinha; *Will you take your children to the park?* / Você vai levar seus filhos ao parque? Quando nos referimos ao ato de "trazer algo ou alguém", geralmente usamos o verbo *bring*. Veja alguns exemplos: *Can you bring me a glass of water from the kitchen?* / Você pode me trazer um copo de água da cozinha?; *I brought a pizza home for dinner.* / Eu trouxe uma pizza para casa para o jantar.

take³
ERRADO: *Wait a minute. I'll take my dictionary.* / Espera um minuto. Eu vou pegar o meu dicionário.
CORRETO: *Wait a minute. I'll get my dictionary.*
OBSERVE: quando nos referimos ao ato de "pegar algo", geralmente usamos o padrão *get something*.

talk¹
ERRADO: *He talked to us about when he was a child.* / Ele nos contou sobre quando era criança.
CORRETO: *He told us about when he was a child.*
OBSERVE: o padrão de uso mais típico, nesse caso, é *tell someone about something*. Veja outros exemplos com o verbo *tell*: *Let me tell you a joke I heard at the office.* / Deixe-me contar uma piada que eu ouvi no escritório. *I have to tell you about what happened last night.* / Eu tenho de lhe contar o que aconteceu ontem à noite; *Tell me about your new job.* / Me conte sobre o seu novo emprego.

talk²
ERRADO: *I talked him about the problem.* / Eu conversei com ele sobre o problema.
CORRETO: *I talked to him about the problem.*
OBSERVE: o padrão correto, nesse caso, é *talk to someone about something*.

talk³
ERRADO: *The book talks about global warming.* / O livro fala sobre aquecimento global.
CORRETO: *The book is about global warming.*
OBSERVE: o padrão de uso mais comum, nesse caso, é *the book/ story/article/movie etc. is about something*. Veja mais exemplos:

The movie is about the Civil War. / O filme é sobre a Guerra Civil; *I just read an article about the economic crisis.* / Eu acabei de ler um artigo sobre a crise econômica.

tasteful

ERRADO: *The lasagna was very tasteful.* / A lasanha estava muito gostosa.

CORRETO: *The lasagna was very tasty.*

OBSERVE: em inglês, geralmente usamos a palavra *tasteful* quando nos referimos a algo "de bom gosto". Exemplo: *The living room was elegant and tasteful.* / A sala era elegante e de bom gosto. Quando nos referimos a algo "saboroso (comida, bebida)", geralmente usamos o adjetivo *tasty*. Exemplo: *The apple pie she makes is very tasty.* / A torta de maçã que ela faz é muito saborosa.

tax

ERRADO: *They charged a tax to change my telephone number.* / Eles cobraram uma taxa para mudar o número do meu telefone.

CORRETO: *They charged a fee to change my telephone number.*

OBSERVE: a palavra *tax* significa "imposto". Exemplos: *Do you pay income tax?* / Você paga imposto de renda?; *Half of the price of gasoline is taxes.* / Metade do preço de gasolina são impostos. Quando nos referimos a uma "taxa" ou "valor cobrado por um serviço", geralmente usamos *fee*. Exemplo: *The bank charges a small fee to transfer money.* / O banco cobra uma pequena taxa para transferir dinheiro.

technology

ERRADO: *Our lives are easier because of the technology.* / A nossa vida é mais fácil por conta da tecnologia.

CORRETO: *Our lives are easier because of technology.*

OBSERVE: quando nos referimos à "tecnologia em geral", não usamos o artigo *the*. Exemplo: *Technology in medicine has advanced* *considerably in the last 5 years.* / A tecnologia na medicina avançou tremendamente nos últimos 5 anos. Quando nos referimos a uma "tecnologia específica", geralmente usamos o artigo *the*. Exemplo: *The technology in the fuel injection system was developed in Germany.* / A tecnologia do sistema de injeção de combustível foi desenvolvida na Alemanha.

telephone

ERRADO: *I telephoned to my boss this morning.* / Eu telefonei para o meu chefe hoje de manhã.

CORRETO: *I telephoned my boss this morning; I phoned my boss this morning; I called my boss this morning.*

OBSERVE: o padrão correto, nesse caso, é *telephone/phone/call someone*, sem a preposição *to*.

television

ERRADO: *I saw the game on the television.* / Eu vi o jogo na televisão.

CORRETO: *I saw the game on television; I saw the game on TV.*

OBSERVE: a palavra *television* ou *TV* é geralmente usada sem o artigo *the*, em inglês. Veja alguns exemplos: *There's nothing on television.* / Não há nada na televisão; *You watch too much TV.* / Você vê muita TV; *She does the news on television.* / Ela apresenta o noticiário na televisão.

tell

ERRADO: *He told that he would arrive late.* / Ele disse que iria chegar atrasado.

CORRETO: *He told me that he would arrive late.*

OBSERVE: o padrão correto, nesse caso, é *tell someone something*. Exemplos: *The teacher told the students to stop talking.* / O professor disse aos alunos para pararem de conversar; *Can you tell me what time it is?* / Você pode me dizer que horas são?

tentative

ERRADO: *He scored on his second tentative.* / Ele fez o gol na segunda tentativa.

CORRETO: *He scored on his second try.*

OBSERVE: o adjetivo *tentative* significa "provisório" ou "sujeito a mudança no futuro". Exemplos: *We have a tentative date for the wedding, but it has to be confirmed.* / Nós temos uma data provisória para o casamento, mas tem de ser confirmada; *We have tentative plans to go to Europe this winter.* / Nós temos planos provisórios para viajar para a Europa neste inverno. Quando nos referimos a uma "tentativa", "lance" ou "jogada", usamos a palavra *try*. Veja mais exemplos: *I didn't pass the university entrance exam but I'll have another try next year.* / Eu não passei no vestibular, mas vou fazer mais uma tentativa no ano que vem; *Here's the ball. Do you want to give it another try?* / Aqui está a bola. Você quer fazer mais uma tentativa?

test

ERRADO: *I have to make a test to enter university.* / Eu preciso fazer uma prova para entrar na universidade.

CORRETO: *I have to do a test to enter university; I have to write a test to enter university.*

OBSERVE: os padrões típicos, nesse caso, são *do a test* ou *write a test*.

thank[1]

ERRADO: *I thank you for your help.* / Eu agradeço pela ajuda.

CORRETO: *Thank you for your help; Thanks for your help (inf).*

OBSERVE: quando agradecemos alguém por algo, geralmente usamos a expressão *Thank you* ou *Thanks*, sem o pronome *I*. Veja mais exemplos: *Thanks for the lunch. (inf)* / Obrigado pelo almoço; *Thank you for driving me to the airport.* / Obrigado por me levar até o aeroporto.

thank²

ERRADO: *Thank you for come to the meeting.* / Obrigado por virem à reunião.
CORRETO: *Thank you for coming to the meeting.*
OBSERVE: o padrão de uso, nesse caso, é *thank you for doing something* ou *thanks for doing something*. Veja mais um exemplo: *Thank you for waiting.* / Obrigado por esperar.

thank³

ERRADO: *Thanks God I found my wallet.* / Graças a Deus eu encontrei a minha carteira.
CORRETO: *Thank God I found my wallet.*
OBSERVE: o padrão correto, nesse caso, é *Thank God*, sem "s".

thanks

ERRADO: *Thanks one more time for the help.* / Obrigado mais uma vez pela ajuda.
CORRETO: *Thanks again for the help.*
OBSERVE: o padrão correto, nesse caso, é *thanks again (for something)*. Veja mais um exemplo: *Thanks again for the dinner.* / Obrigado mais uma vez pelo jantar.

themselves

ERRADO: *They are talking to themselves.* / Eles estão conversando um com o outro.
CORRETO: *They are talking to each other.*
OBSERVE: o pronome reflexivo *themselves* significa "para si mesmos" ou "consigo mesmos". Exemplo: *They bought themselves presents.* / Eles compraram presentes para si mesmos. Quando nos referimos a uma ação que recai sobre duas pessoas, usamos *each other* ou *one another*. Veja mais exemplos: *The girls looked at each other.* / As garotas olharam uma para a outra; *Do you know each other?* / Vocês se conhecem?

think

think

ERRADO: *I think in study English next year.* / Eu penso em estudar inglês no próximo ano.

CORRETO: *I'm thinking of studying English next year.*

OBSERVE: o padrão correto, nesse caso, é *think about/of doing something*. Exemplo: *She's thinking about buying a new car.* / Ela está pensando em comprar um carro novo.

this

ERRADO: *This I don't like!* / Isto eu não gosto.

CORRETO: *I don't like this.*

OBSERVE: nesse caso, *this* é um objeto direto, portanto, deve vir após o verbo. Veja mais um exemplo: *I can't believe this.* / Eu não posso acreditar nisso.

time[1]

ERRADO: *Would you like to try more one time?* / Você gostaria de tentar mais uma vez?

CORRETO: *Would you like to try one more time?; Would you like to try again?*

OBSERVE: os padrões, nesse caso, são *do something one more time* ou *do something again*. Veja mais exemplos: *Let's rehearse it one more time.* / Vamos ensaiar mais uma vez; *I'll call her again.* / Eu vou ligar para ela mais uma vez.

time[2]

ERRADO: *I can't stay here for more time.* / Eu não posso ficar aqui por mais tempo.

CORRETO: *I can't stay here any longer; I can't stay here any more.*

OBSERVE: os padrões, nesse caso, são *not do something any more* ou *not do something any longer*. Exemplos: *She doesn't want to work there any more.* / Ela não quer mais trabalhar lá; *I can't take this any longer.* / Eu não aguento mais isso.

time³

ERRADO: *I have to do extra time sometimes.* / Eu tenho de fazer hora extra, às vezes.

CORRETO: *I have to work overtime sometimes; I have to do overtime sometimes.*

OBSERVE: as expressões equivalentes a "fazer hora extra" são *work overtime* ou *do overtime*. Veja alguns exemplos: *I've worked overtime every day this week.* / Eu fiz hora extra todos os dias esta semana; *Can you do some overtime tonight?* / Você pode fazer hora extra hoje à noite?

time⁴

ERRADO: *It's my time now!* / É a minha vez agora!

CORRETO: *It's my turn now!*

OBSERVE: o padrão correto, nesse caso, é *be someone's turn now*. Exemplo: *I made dinner last night. It's your turn now.* / Eu fiz o jantar ontem à noite. Agora é a sua vez.

time⁵

ERRADO: *It's the first time that I try Mexican food.* / É a primeira vez que eu experimento comida mexicana.

CORRETO: *It's the first time that I have tried Mexican food.*

OBSERVE: com expressões do tipo *it's the first/second/third etc. time*, geralmente usamos o tempo verbal *Present Perfect*. Exemplos: *It's the second time you've asked that question.* / É a segunda vez que você faz esta pergunta; *It's the fourth time that he's been here.* / É a quarta vez que ele vem aqui.

time⁶

ERRADO: *They were talking in the same time.* / Eles estavam falando ao mesmo tempo.

CORRETO: *They were talking at the same time.*

OBSERVE: o padrão correto, nesse caso, é *at the same time*.

time⁷

ERRADO: *I never go out during rush time.* / Eu nunca saio na hora do rush.
CORRETO: *I never go out at rush hour.*
OBSERVE: o termo correto, nesse caso, é *rush hour*.

time⁸

ERRADO: *I was already married in that time.* / Eu já era casado naquela época.
CORRETO: *I was already married at that time.*
OBSERVE: o padrão correto, nesse caso, é *at that time*.

too¹

ERRADO: *I don't like beer and I don't like whisky too.* / Eu não gosto de cerveja e não gosto de uísque também.
CORRETO: *I don't like beer and I don't like whisky, either; I don't like beer nor do I like whisky; I don't like beer, neither do I like whisky.*
OBSERVE: a palavra *too* é geralmente usada em orações afirmativas, em inglês. Exemplo: *Nice to meet you too.* / Prazer em conhecê-lo também. Com orações na forma negativa, geralmente usamos as palavras *either*, *neither* ou *nor*. Veja mais exemplos: *I've never met her either.* / Eu também não a conheço; *Neither of them works.* / Nenhum deles trabalha; *Neither the manager nor his secretary was there.* / Nem o gerente nem a secretária dele estavam lá.

too²

ERRADO: *I'm too happy.* / Eu estou feliz demais.
CORRETO: *I'm so happy; I'm very happy.*
OBSERVE: nesse caso, o advérbio *too* sempre traz uma conotação negativa, com o sentido de "exagero" ou "excesso". Exemplos: *It's too hot today.* / Está muito quente hoje; *I ate too much and now I feel sick.* / Eu comi demais e agora estou me sentindo mal. Quando queremos intensificar adjetivos ou advérbios com conotação positiva ou neutra, geralmente usamos *very* ou *so*. Exemplos: *I was*

very glad to see them. / Eu fiquei muito feliz em vê-los; *She sings so beautifully!* / Ela canta tão bem!

translation

ERRADO: *They made a translation.* / Eles fizeram uma tradução.
CORRETO: *They did a translation.*
OBSERVE: o padrão correto, nesse caso, é *do a translation.*

travel[1]

ERRADO: *Are you going to travel this weekend?* / Você vai viajar neste final de semana?
CORRETO: *Are you going to go away this weekend?*
OBSERVE: quando nos referimos ao ato de "fazer uma viagem curta de fim de semana", geralmente usamos *go away (for the weekend).* O verbo *travel* é geralmente usado quando nos referimos a "viagens mais longas" ou "viagens distantes". Veja alguns exemplos: *She has traveled over most of Africa with her work.* / Ela viajou para a maior parte da África por conta do trabalho dela; *After university I traveled in South America for a few years.* / Depois que terminei a faculdade, eu viajei pela América do Sul por alguns anos.

travel[2]

ERRADO: *The travel by bus takes six hours.* / A viagem de ônibus leva seis horas.
CORRETO: *The trip by bus takes six hours; The journey by bus takes six hours.*
OBSERVE: a palavra *travel* é mais tipicamente usada como verbo, exceto quando forma substantivos compostos como *travel agent, travel agency, foreign travel* etc. Exemplos: *John is a travel agent.* / O John é agente de viagens; *She's not interested in foreign travel.* Ela não está interessada em viagens ao exterior. Quando nos referimos ao substantivo "viagem", geralmente usamos *trip* ou *journey.* Exemplos: *Did you have a nice trip?* / Você fez uma boa viagem?; *They went on a two-year journey through the Caribbean by*

sailboat. / Eles partiram em uma viagem de dois anos pelo Caribe em um veleiro.

trip
ERRADO: *I did a trip to Mexico last year.* / Eu fiz uma viagem para o México o ano passado.
CORRETO: *I took a trip to Mexico last year.*
OBSERVE: o padrão correto, nesse caso, é *take a trip*.

trousers
ERRADO: *I have to buy a new trouser.* / Eu preciso comprar uma calça nova.
CORRETO: *I have to buy some new trousers; I have to buy new trousers; I have to buy a new pair of trousers.*
OBSERVE: a palavra *trousers* é um substantivo usado sempre no plural, portanto, não aceita o artigo *a*, exceto quando se diz *a pair of trousers*.

two times
ERRADO: *She phoned you two times.* / Ela ligou para você duas vezes.
CORRETO: *She phoned you twice.*
OBSERVE: embora não seja necessariamente errado dizer *two times*, o padrão mais comum é *twice*. Exemplo: *I've seen the movie twice.* / Eu já vi o filme duas vezes.

u

understand
    ERRADO: *I'm not understanding.* / Eu não estou entendendo.
    CORRETO: *I don't understand.*
    OBSERVE: verbos de estado ou mentais (*like, hate, want* etc.) geralmente não são usados no gerúndio. Veja mais exemplos: *I like the book so far.* / Estou gostando do livro até agora; *I want to speak to you.* / Eu quero falar com você.

United States
    ERRADO: *She's from United States.* / Ela é dos Estados Unidos.
    CORRETO: *She's from the United States.*
    OBSERVE: sempre usamos o artigo *the* com *United States* ou *States*. Exemplos: *Have you ever been to the States?* / Você já esteve nos Estados Unidos?; *I used to live in the United States.* / Eu morava nos Estados Unidos.

university
    ERRADO: *She studies at the university.* / Ela estuda na universidade.
    CORRETO: *She studies at university.*
    OBSERVE: geralmente não usamos o artigo *the* com a palavra

university. Veja alguns exemplos: *Did you finish university?/* Você terminou a faculdade?; *She studies literature at university*. / Ela estuda literatura na universidade; *He wants to go to university when he finishes high school.* / Ele quer fazer faculdade quando terminar o ensino médio. Usamos o artigo *the* quando nos referimos a uma universidade específica. Exemplo: *If you need me, I'll be at the university.* / Se você precisar de mim, estarei na universidade.

until[1]

ERRADO: *We walked until the end of the road.* / Nós caminhamos até o final da estrada.

CORRETO: *We walked to the end of the road; We walked as far as the end of the road.*

OBSERVE: *until*, ou *till* (*inf*), é geralmente usado quando nos referimos a "tempo", e não "distância". Exemplo: *We worked until 8:00 yesterday.* / Nós trabalhamos até as 8 horas ontem. Quando nos referimos a "distância", geralmente usamos *as far as*. Exemplo: *We walked as far as the park, then we got a cab.* / Nós caminhamos até o parque, então pegamos um táxi.

until[2]

ERRADO: *You must finish the report until Friday.* / Você tem de terminar o relatório até sexta-feira.

CORRETO: *You must finish the report by Friday.*

OBSERVE: embora a palavra *until* seja usada para se referir a tempo, quando nos referimos a um prazo de tempo que não pode ser ultrapassado, usamos *by*, em inglês. Exemplos: *I'll pay you by Monday at the latest.* / Eu te pago até segunda-feira, no máximo; *We'll be home by midnight.* / Nós estaremos em casa antes da meia-noite.

V

vacation

Errado: *I went to Florianópolis in my vacation last year.* / Eu fui para Florianópolis nas minhas férias o ano passado.
Correto: *I went to Florianópolis on my vacation last year.*
Observe: nesse caso, o padrão é *on vacation*. Exemplo: *I'm on vacation.* / Eu estou em férias.

very much

Errado: *I like very much Brazil.* / Eu gosto muito do Brasil.
Correto: *I like Brazil very much.*
Observe: a expressão *very much* vem geralmente em posição final na oração, em inglês. Veja alguns exemplos: *He likes her very much.* / Ele gosta muito dela; *We haven't seen Donna very much these days.* Nós não temos visto muito a Donna ultimamente; *We enjoyed the show very much.* / Nós gostamos muito do show.

very well

Errado: *She speaks very well English.* / Ela fala muito bem inglês.
Correto: *She speaks English very well.*
Observe: a expressão *very well* vem geralmente em posição final na oração, em inglês. Veja mais exemplos: *The machine's not working*

very well. / A máquina não está funcionando muito bem; *He dances very well.* / Ele dança muito bem.

vigilante

ERRADO: *He works as a vigilante.* / Ele trabalha como vigilante.

CORRETO: *He works as a security guard.*

OBSERVE: a palavra *vigilante* significa "justiceiro". Exemplo: *He took on the role of vigilante to avenge his wife's murder.* / Ele assumiu o papel de justiceiro para vingar o assassinato da esposa. Quando nos referimos a "uma pessoa que vigia casas, ruas, empresa etc.", geralmente dizemos *security guard, guard, night watchman* (guarda-noturno), entre outros. Exemplo: *They have a night watchman to keep an eye on the building.* / Eles têm um guarda-noturno para vigiar o prédio.

vision

ERRADO: *What is your vision of the financial crisis?* / Qual é a sua visão da crise financeira?

CORRETO: *What is your view of the financial crisis?*

OBSERVE: a palavra *vision* é usada mais frequentemente quando nos referimos a um ideal ou objetivo e não apenas a uma opinião. Exemplo: *She worked her whole life toward her vision of eliminating poverty.* / Ela trabalhou a vida toda com o objetivo de eliminar a pobreza. Quando nos referimos a um "ponto de vista" ou a uma "opinião", geralmente usamos a palavra *view*. Exemplo: *I don't agree with her political views.* / Eu não concordo com a visão política dela.

visit

ERRADO: *I make a visit to my grandmother sometimes.* / Eu faço uma visita para a minha avó, às vezes.

CORRETO: *I pay my grandmother a visit sometimes; I pay a visit to my grandmother sometimes.*

OBSERVE: os padrões típicos, nesse caso, são *pay someone a visit* ou *pay a visit to someone*.

voluntary

ERRADO: *Any voluntaries to do the job?* / Algum voluntário para fazer o serviço?
CORRETO: *Any volunteers to do the job?*
OBSERVE: a palavra *voluntary* tem a função de adjetivo, em inglês. Exemplo: *He's a voluntary worker.* / Ele é um trabalhador voluntário. Quando nos referimos ao substantivo "voluntário", usamos *volunteer*.

W

wait¹

ERRADO: *She is waiting for a baby.* / Ela está esperando bebê.
CORRETO: *She is expecting a baby.*
OBSERVE: o padrão correto, nesse caso, é *expect a baby*.

wait²

ERRADO: *She's waiting her father.* / Ela está esperando o pai dela.
CORRETO: *She's waiting for her father.*
OBSERVE: o padrão correto, nesse caso, é *wait for someone/ something*. Exemplo: *They're waiting for the bus.* / Eles estão esperando o ônibus.

wait³

ERRADO: *We are waiting for the package to arrive today.* / Nós estamos esperando que o pacote chegue hoje.
CORRETO: *We are expecting the package to arrive today.*
OBSERVE: o verbo *wait* significa "esperar até que algo aconteça, apareça etc.", em inglês. Exemplo: *We are waiting for the bank to open.* / Nós estamos esperando o banco abrir. Quando nos referimos a uma "previsão, expectativa, esperança etc. de que algo aconteça",

geralmente usamos o verbo *expect*. Exemplo: *We didn't expect this to happen.* / Nós não esperávamos que isto fosse acontecer.

walk

ERRADO: *We did a walk in the park.* / Nós fizemos uma caminhada no parque.

CORRETO: *We took a walk in the park; We went for a walk in the park.*

OBSERVE: o padrão típico, nesse caso, é *take a walk* ou *go for a walk*.

want

ERRADO: *I want the grilled chicken.* / Eu quero o frango grelhado.

CORRETO: *I'll have the grilled chicken; I'd like the grilled chicken.*

OBSERVE: o uso do verbo *want* para fazer pedidos pode ter um tom rude ou mal-educado, em inglês. Assim, geralmente preferimos expressões do tipo *I'll have..., I'd like...* etc.

water

ERRADO: *Trout are found in sweet water.* / As trutas são encontradas em água doce.

CORRETO: *Trout are found in fresh water.*

OBSERVE: "água de rio" ou "água doce" é *fresh water*, em inglês.

went[1]

ERRADO: *I never went to Europe.* / Eu nunca estive na Europa.

CORRETO: *I've never been to Europe.*

OBSERVE: quando nos referimos a uma ação que ainda tem chances de ocorrer, geralmente usamos o tempo verbal *Present Perfect*. Veja mais exemplos: *I haven't been to Italy.* / Eu nunca fui para a Itália; *She's never been to her sister's house.* / Ela nunca foi à casa da irmã.

went[2]

ERRADO: *I went to Mexico. The people are very nice.* / Eu fui para o México. As pessoas são muito bacanas.

CORRETO: *I've been to Mexico. The people are very nice.*

OBSERVE: quando nos referimos a uma ação ou evento num passado indefinido ou cujo resultado tem reflexo no momento presente, geralmente usamos o tempo verbal *Present Perfect*. Veja mais exemplos: *We've seen that movie already.* / Nós já vimos esse filme; *I've tried sushi but I don't like it.* / Eu já experimentei sushi, mas eu não gosto.

went[3]

ERRADO: *I went to Canada three times.* / Eu fui para o Canadá três vezes.

CORRETO: *I've been to Canada three times.*

OBSERVE: quando nos referimos a uma ação ou evento num passado indefinido e que se repete ou pode se repetir no futuro, geralmente usamos o tempo verbal *Present Perfect*. Veja mais exemplos: *I've called her twice already, but there's no answer.* / Eu liguei para ela duas vezes, mas não há resposta; *We've seen that movie at least a dozen times!* / Nós já vimos esse filme no mínimo umas doze vezes!

what

ERRADO: *"Are you hungry?" "What?"* / "Você está com fome?" "O quê?"

CORRETO: *"Are you hungry?" "Pardon me?"; "Are you hungry?" "Pardon?"; "Are you hungry?" "I beg your pardon?"*

OBSERVE: embora a palavra *what* possa ser usada em contextos mais informais, quando queremos que a pessoa repita o que disse, geralmente usamos expressões do tipo *Pardon me?*, *Pardon?* ou *I beg your pardon?*

wish

ERRADO: *I wish you have a good trip.* / Eu desejo que você tenha uma boa viagem.

CORRETO: *I hope you have a good trip.*

OBSERVE: o padrão correto, nesse caso, é *hope someone does something*. Exemplo: *I hope you win the game.* / Eu desejo que você vença o jogo.

with

ERRADO: *The key is with Eric.* / A chave está com o Eric.

CORRETO: *Eric has the key.*

OBSERVE: quando queremos dizer que algo está com alguém, ou seja, alguém está em posse de algo, geralmente usamos o padrão *someone has something*. Exemplo: *"Where are my books?" "Carol has them."* / "Onde estão os meus livros?" "Eles estão com Carol".

without

ERRADO: *I was without my wallet.* / Eu estava sem minha carteira.

CORRETO: *I didn't have my wallet; I didn't have my wallet on me.*

OBSERVE: o padrão típico, nesse caso, é *someone has something (with/on them)* ou *someone has got something (with/on them)*. Exemplo: *I'm sorry. I haven't got any money on me now.* / Sinto muito, mas estou sem nenhum dinheiro comigo agora.

woman

ERRADO: *Look at those womans!* / Olhe aquelas mulheres!

CORRETO: *Look at those women!*

OBSERVE: o plural de *woman* é *women* (plural irregular), em inglês.

wonder

ERRADO: *I wonder where is she from.* / Eu gostaria de saber de onde ela é.

CORRETO: *I wonder where she is from.*

OBSERVE: embora remetam a uma pergunta ou requeiram uma resposta da pessoa que ouve, as orações que começam com *I wonder...*, *I'd like to know...*, e *I want to know...* permanecem na forma afirmativa. Veja mais exemplos: *I wonder what time it is.* / Eu gostaria de saber que horas são; *I'd like to know how old he is.* / Eu gostaria de saber qual é a idade dele; *I want to know how much this will cost.* / Eu quero saber quanto isto vai custar.

wood

ERRADO: *I bought a small wood box in Minas.* / Eu comprei uma caixinha de madeira em Minas.

CORRETO: *I bought a small wooden box in Minas; I bought a small box made of wood in Minas.*

OBSERVE: a palavra *wood* é um substantivo e significa "madeira" e é geralmente usada na frase *made of wood*. Exemplo: *The table is made of solid wood.* / A mesa é feita de madeira maciça. Quando nos referimos a algo feito "de madeira", geralmente usamos o adjetivo *wooden*. Veja alguns exemplos: *The church has a large wooden arch over the door.* / A igreja tem um grande arco de madeira sobre a porta; *Europeans arrived in wooden ships.* / Os europeus chegaram em navios de madeira.

work

ERRADO: *We have to finish our work of English.* / Nós temos de terminar nosso trabalho de inglês.

CORRETO: *We have to finish our English assignment; We have to finish our English homework.*

OBSERVE: o equivalente a "trabalho de inglês" é *English assignment* ou *English homework*.

would

ERRADO: *Would you like?* / Está servido?

CORRETO: *Would you like some?*

OBSERVE: quando oferecemos algo para comer ou beber a alguém, geralmente dizemos *Would you like some?*

year

Errado: *He has a ten years old son.* / Ele tem um filho de dez anos.

Correto: *He has a ten-year-old son.*

Observe: quando usamos um adjetivo composto *(ten-year-old)* a palavra *year* sempre fica no singular e adicionamos hifens entre as palavras que formam o adjetivo, em inglês. Veja a diferença: *He is eight years old.* / Ele tem oito anos; *He is an eight-year-old boy.* / Ele é um garoto de oito anos. Veja mais exemplos: *I bought a two-year-old car.* / Eu comprei um carro de dois anos de uso; *They bought a hundred-year-old house in the country.* / Eles compraram uma casa centenária no interior.

years[1]

Errado: *I have 25 years.* / Eu tenho 25 anos de idade.

Correto: *I am 25 years old; I'm 25.*

Observe: quando nos referimos a idade, sempre usamos o padrão *be (25) years old* ou *be (25)*. Em inglês, não usamos o verbo *have* para nos referir a idade. Exemplos: *John was nineteen when I met him.* / John tinha dezenove anos quando eu o conheci; *"How old is Henry?" "He's 45."* / "Qual é a idade do Henry?"

"Ele tem 45 anos."; *I'll be 34 in December.* / Eu vou fazer 34 anos em dezembro.

years²

ERRADO: *She was with thirteen years at the time.* / Ela estava com treze anos na época.

CORRETO: *She was thrirteen at the time; She was thirteen years old at the time.*

OBSERVE: quando nos referimos a idade, sempre usamos o padrão *be (25) years old* ou *be (25)*, sem a preposição *with*.

your

ERRADO: *Have you met Jack and your brother?* / Você conhece Jack e o irmão dele?

CORRETO: *Have you met Jack and his brother?*

OBSERVE: a confusão no uso desse possessivo do caso adjetivo começa em português com o uso de "seu/sua" para se referir à segunda pessoa do singular e "dele/dela" para a terceira pessoa do singular. Em inglês, tudo o que pertence a "ele" é *his* e tudo o que pertence a ela é *her(s)*. Exemplos: *This is Mike. His house is 2 blocks from here.* / Este é o Mike. Sua casa fica a duas quadras daqui; *This is Mary. Her car is parked outside.* / Esta é a Mary. Seu carro está estacionado lá fora.

Conheça algumas obras essenciais para aprimorar seus conhecimentos em inglês

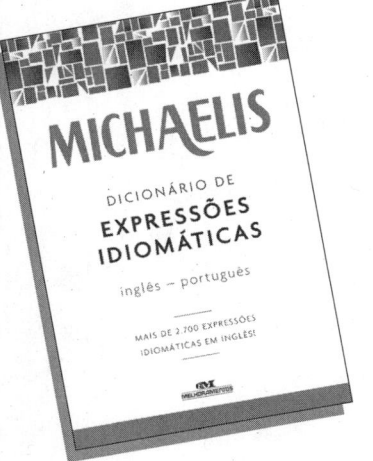

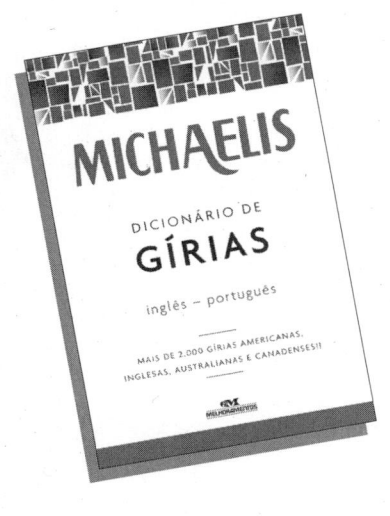

MICHAELIS
DICIONÁRIO DE
PHRASAL VERBS
inglês – português
MAIS DE 1.800 PHRASAL VERBS!

MICHAELIS
DICIONÁRIO DE
GÍRIAS
inglês – português
MAIS DE 2.000 GÍRIAS AMERICANAS, INGLESAS, AUSTRALIANAS E CANADENSES!!

MICHAELIS
DICIONÁRIO DE
EXPRESSÕES IDIOMÁTICAS
inglês – português
MAIS DE 2.700 EXPRESSÕES IDIOMÁTICAS EM INGLÊS!

Para saber mais sobre nossas obras, visite o site
www.livrariamelhoramentos.com.br